붉은 꽃을 내 무덤에 놓지 마세요

ငါ့ သင်္ချိုင်းအုတ်ဂူအပေါ် ပန်းနီနီမတင်ပါနဲ့။

미얀마 민주화를 지지하는 시인들

မြန်မာ့ ဒီမိုကရေစီအရေးကို ထောက်ခံအားပေးသော ကဗျာဆရာများ

시인들의 말

움직이는 모든 것들을 향해 쏘라
어제 들려온 미얀마에서의 군부 명령이었다죠
다섯 살 아이가 정치범수용이 되었고
두 살배기 아이도 수용되었다는 소문이 들려옵니다
미얀마에서는 흰 국화가 아닌 붉은 꽃이
죽음의 주인이랍니다
사랑 고백의 상징이 미얀마에서는 죽음의 상징이죠

사랑, 희망이 부디 붉은 꽃 피우지 말기를

붉은 꽃을 내 무덤에 놓지 마세요

ငါ့ သင်္ချိုင်းအုတ်ဂူအပေါ် ပန်းနီနီမတင်ပါနဲ့။

차례

제3부 거대한 물소 떼

제4부 머리에 파다욱을 꽂고

수록 작가 소개

1부

혁명은 심장에 있다

군부여, 혁명을 끝내려거든

-심장이 없는 Khet Thi 시인을 위하여

"머리에 총을 쏘는 그들은 모른다.
혁명은 심장에 있단 것을!"
미얀마 군부 쿠데타에 저항한 시인은
무장 군경에 끌려가 하루 만에
심장이 제거된 주검이 되었다

시신으로 돌아온 시인을 위해
이 땅의 시인은 무엇을 노래해야 하나
세 손가락 높이 치켜들고
학교에서, 사원에서, 병원에서, 일터에서 거리로 나온
미얀마 사람들을 위해
나는 쓰련다

혁명은 시민을 겨눈 군부의 총부리에 있다
어둠을 틈타 무고한 이들의 집에 들이닥치는 군홧발에 있다 혁명은!
저항운동가 형제 대신 그 어머니를 잡아 가둔 무지몽매와 불의에서 활활 불타오른다

미얀마 군부여, 혁명을 빨리 끝장내고 싶거든
총을 내려라! 시민들의 솜털 하나 건드리지 마라!
미용사와 학생들과 승려와 노동자를
그들의 자리로, 가족에게로 돌려보내라 그들 손에
평화와 민주주의를 들려 보내다오

Military, if you want to end the revolution

-For poet Khet Thi without a heart

"Those who shoot in the head don't know
The revolution is in the heart!"
A poet who resisted a military coup in Myanmar
The poet was taken away by armed soldier and a day later
He became a corpse whose heart was removed

For the poet who was returned to a corpse
What should the poets of this land sing?
Raising three fingers high,
For the people of Myanmar who have come to the street
From school, from temple, from hospital, and from work
I will write

The revolution is in the inside of a muzzle of the military aimed at the citizens
In the military boots of soldiers who attack the

homes of innocent people through the darkness the revolution is !

It's burning brightly from the ignorance of knowledge and injustice that captured and imprisoned the mother instead of the brothers of the resistance activist

Myanmar military, if you want to end the revolution quickly

Put the gun down! Don't touch a single fluff of citizens!

Return the hairdresser, the students, the monks and the workers

To their places, and to their families

Send peace and democracy in their hand

စစ်တပ်ရေ့, အကယ်၍... တော်လှန်ရေးကြီးပြီးဆုံးသွားတာ မြင်ချင်တယ်ဆိုရင်

(အသဲကလီစာများ မရှိတော့သည့် ကဗျာဆရာ ခက်သီသို့ ရည်ညွှန်းသည်)

"သူတို့က ခေါင်းကိုပစ်တယ်
တော်လှန်ရေးက နှလုံးသားမှာရှိတာ သူတို့မသိကြဘူး"
စစ်တပ်ရဲ့ အာဏာသိမ်းမှုကို ဆန့်ကျင်တဲ့ ကဗျာဆရာတစ်ယောက်
လက်နက်ကိုင် တပ်သားတွေ ဆွဲခေါ်သွားတာခံခဲ့ရ
နောက်တစ်ရက်ကြာတဲ့အခါ...သူဟာ
အသဲကလီစာများ မရှိတော့တဲ့ သက်မဲ့ခန္ဓာဘဝ ရောက်ခဲ့ရရှာ။

အလောင်းအဖြစ် ပြန်လာတဲ့ ကဗျာဆရာအတွက်
ဒီမြေက ကဗျာဆရာ ဘာတွေ သီကျူးရမလဲ?
လက်သုံးချောင်းကို မြင့်မြင့် ထောင်လို့
စာသင်ကျောင်းက၊ ဘုရားကျောင်းက၊ ဆေးရုံက၊ အလုပ်ခွင်က
လမ်းပေါ် ထွက်လာကြတဲ့ မြန်မာပြည်သူတွေအတွက်
ငါရေးဖွဲ့ ရလိမ့်မယ်။

တော်လှန်ရေးဟာ...
ပြည်သူတွေကို ချိန်ရွယ်ထားတဲ့ သေနတ်ပြောင်းထဲမှာ ရှိတယ်
တော်လှန်ရေးဟာ...
အပြစ်မဲ့ပြည်သူတွေရဲ့ အိမ်ကို အမှောင်ထဲမှာ
ကျူးကျော်စီးနင်းတဲ့ စစ်ဖိနပ်တွေထဲမှာ ရှိတယ်။

တက်ကြွတဲ့ စစ်ဆန့်ကျင်ရေးသမား ညီနောင်ကိုယ်စား
အမေဖြစ်သူကို ဖမ်းဆီးသွားတဲ့
မိုက်မဲတဲ့ အသိဉာဏ်နဲ့ မတရားမှုတွေအထဲ
တော်လှန်ရေးဟာ...အဟုန်ပြင်းပြင်း လောင်ကျွမ်းနေတယ်။

စစ်တပ်ရေ...အကယ်၍
တော်လှန်ရေးကြီး လျင်လျင်မြန်မြန် ပြီးဆုံးသွားတာမြင်ချင်ရင်
သေနတ်ကို လက်ကချလိုက်ပါ
ပြည်သူတွေရဲ့ ဆံခြည်လေး တစ်မျှင်ကိုတောင် မထိပါနဲ့
ဆံပင်အလှပြင်သူတွေ၊ ကျောင်းသူကျောင်းသားတွေ
ဘုန်းတော်ကြီးတွေ အလုပ်သမားတွေ
သူတို့နေရာ၊ သူတို့မိသားစုဆီ ပြန်ကြပါစေ
သူတို့ရဲ့ လက်ထဲကိုသာ
ငြိမ်းချမ်းရေးနဲ့ ဒီမိုကရေစီတွေ ထည့်ပေးလိုက်ပါလေ။

박두규

누구의 죽음이라도 거룩하다

미얀마는
위빠사나 명상에 잠긴 고요의 나라인 줄 알았는데
전두환이 같은 군인의 나라였다니

광주의 오월처럼 그 고운 꽃들이 다 져야
미얀마의 오월이 끝날 것인가

미얀마의 죽음은 이제
누구의 죽음이라도 거룩하다

세계의 곳곳, 사람이 사는 마을마다
그대들의 죽음은 부활하여 외치라

나라의 주인은 누구인가
민주주의는 무엇으로부터 오는가

Park, Doo Kyu

The death of anyone is holy

Myanmar was thought to be a country of calm immersed in Vipassana meditation
Sadly but it was the country of soldiers like Chun Doo-Hwan,

Just like the May of Gwangju, only when those beautiful flowers must be destroyed
Will Myanmar's May end?

The death in Myanmar is now holy
No matter whose death it may be

In everywhere of the world and in every village where people live
Your death shall be resurrected, and shout out

Who is the owner of the country?
What does democracy come from?

Park, Doo Kyu

မြင့်မြတ်သော ကွယ်လွန်ခြင်း

မြန်မာဆိုတာ...
ဝ◌ိပဿနာတရား ခြုံလွှမ်း
အေးချမ်းသိမ်မွေ့တဲ့အရပ်လို့ ထင်ခဲ့တာ...
အခုတော့...
ချန်ဒူးဝမ်လို စစ်သားတွေ ပြည့်နှက်နေတဲ့
တိုင်းပြည် ဖြစ်မှန်းမသိ ဖြစ်ခဲ့ပေါ့။

ဂွမ်းဂျူရဲ့ မေ လိုပဲ
လှပနူးညံ့တဲ့ ပန်းတွေ ကြွေပြီးရင်း ကြွေကာမှ
မြန်မာ့မေဟာ အဆုံးသတ်တော့မှာလား။

အခု အရေးတော်ပုံအတွင်း
မြန်မာပြည်မှာ သေဆုံးရခြင်းဟာ
မည်သည့်သေဆုံးခြင်းမဆို မြင့်မြတ်လှပါတယ်။

ကမ္ဘာတစ◌ှမ်းနေရာအနှံ့၊ လူ့ ရပ်လူ့ ရွာတိုင်းမှာ
မင်းတို့ရဲ့ သေဆုံးရခြင်းတွေဟာ ရှင်ပြန်ထမြောက်လို့ ဟစ်ကြွေးကြ။

ဒီနိုင်ငံကို ဘယ်သူ ပိုင်သလဲ

ဒီမိုကရေစီ ဘယ်ကနေဆင်းသက်လာသလဲ။

(ဒီနိုင်ငံကို ပြည်သူကသာ ပိုင်ဆိုင်၍၊ ဒီမိုကရေစီသည် ပြည်သူ့ထံမှသာ ဆင်းသက်ကြောင်း ကဗျာဆရာက ဆိုလိုခြင်းဖြစ်၏)

복효근

미얀마는 광주다

아니라고 했던 이들은 보라
북괴군들이 몰래 잠입해서 일으킨 소요라고 했던 이들은 보라

그날 광주에서 있었던 일이 궁금하다면
보라 미얀마를
권력에 눈이 멀어버린 군부가
비무장 민간인을 가두고 고문하고 짓밟고 총으로 쏘아 죽이는 것을

지금 다시 광주가 죽어가고 있다
민주주의와 자유가 죽어가고 있다
한갓 먼 나라 미얀마에서 일어난 일일 뿐이라고 말하지 말자
그때 우리도 그랬잖은가

침묵하고 눈감는 사이 수백 명의 의로운 형제가 죽어갔다
5공 6공 거짓을 거짓으로 덮으려는 세력에 의해

역사는 30년 40년을 후퇴했다

미얀마를 외면하는 것은 다시 우리의 광주를 외면하는 일
민주주의를 외면하는 일
민주주의를 짓밟은 검은 세력들을 묵인하는 일

시민군들에게 주먹밥을 해 날랐던 광주의 어머니들처럼
딱 그만큼이면 된다
그만큼의 마음이 우리를 당당하게 했다
지금 고개 돌려 미얀마를 보라

Myanmar is Gwangju

Those who said no, look at

Those who said it was a disturbance which was caused by secret infiltration of the North Korean soldiers, look at

If you are curious about what happened in Gwangju that day

Look at Myanmar and

The military, blinded by power,

Confined, tortured, trampled, shot and killed unarmed civilians.

Now, Gwangju is dying again

Democracy and freedom are dying

Let's not say that it just happened in the far away country of Myanmar

Didn't we do the same at that time?

Hundreds of righteous brothers died while we

were in silence and closed eyes.

By the 5th republic and the 6th republic, the forces that tried to cover up lies with lies

History has retreated for 30 or 40 years

Turning away from Myanmar is turning away from our Gwangju again,

Turning away from democracy and

Turning a blind eye to black forces who trample on democracy

Like the mothers in Gwangju who carried rice balls to the militia

Just that much is enough

That much of our hearts made us proud

Turn your head now and look at Myanmar

မြန်မာပြည်သည် ဂွမ်းဂျူဖြစ်သည်

အဲ့သလို မဟုတ်ခဲ့ရပါဘူးဆိုတဲ့ သူတွေ
မြောက်ကိုရီးယားတပ်သားတွေ ခိုးဝင်လာပြီး
ဆူပူအုံကြွတာပါဆိုတဲ့သူတွေ..ကြည့်ကြ..ကြည့်ကြ
အဲ့ဒီနေ့က ဂွမ်းဂျူရဲ့ဖြစ်ပုံကို သိချင်ရင်
အခု မြန်မာပြည်ကို ကြည့်ကြ။
အာဏာကြောင့် စုံလုံးကန်းသွားတဲ့ စစ်တပ်ဟာ
လက်နက်မဲ့ ပြည်သူတွေကို ဖမ်းဆီးသတ်ဖြတ်နေတာ
ညှင်းပန်းနှိပ်စက်နေတာတွေကို ကြည့်ကြ ကြည့်ကြ။

အခုဖြစ်နေတာ
ဂွမ်းဂျူဒုတိယအကြိမ် ကျဆုံးသလိုပဲ
ဒီမိုကရေစီနဲ့ လွတ်လပ်ခွင့်တွေ သေဆုံးနေတယ်၊
ဟို...အဝေးတိုင်းပြည်...
မြန်မာနိုင်ငံဆီက အဖြစ်အပျက်တွေပါလို့ မပြောကြေး
အဲဒီတုန်းက ဂွမ်းဂျူလဲ...
ဒီအဖြစ်မျိုး ကြုံခဲ့တာပဲ မဟုတ်လား။

နှုတ်ဆိတ် မျက်စိမှိတ်လိုက်တဲ့ တဒင်္ဂ
အမှန်တရားဘက်တော်သား ညီနောင်တွေ

ရာချီ အသက်ပေးခဲ့ကြရ
၅ဆက်နဲ့ ၆ဆက်မြောက် အာဏာရှင်
မုသားပေါ် မုသားဆင့်သူ တစ်စုကြောင့်
သမိုင်းဟာ အနှစ် သုံးလေးဆယ်
နောက်ပြန်လှည့်ခဲ့ရပြီ။

မြန်မာကို လျစ်လျူရှုခြင်းဟာ...
ငါတို့ရဲ့ ဂွမ်းဂျူကို နောက်တစ်ကြိမ် လျစ်လျူရှုတာပဲ
ဒီမိုကရေစီကို လျစ်လျူရှုတာပဲ
ဒီမိုကရေစီကို ဖိနှိပ်နင်းခြေသူ
အဓမ္မဝါဒီတွေကို ဆိတ်ဆိတ်နေခြင်းဖြင့် အညွှန်ခံတာပဲ။

ဂွမ်းဂျူမှာ...အရေးတော်ပုံတပ်သားတွေကို
ထမင်းဆုပ်ဝေခဲ့တဲ့ ဂွမ်းဂျူက အမယ်အိုတွေလောက်
ခေါင်းကိုစောင်းငဲ့ကြည့်လိုက်စမ်းပါ မြန်မာကို။
အဲ့သလောက်ဆို ကျေနပ်ပါတယ်
သင်တို့ရဲ့ အဲ့သလောက် စာနာမှုဟာ
ငါတို့ကို ရဲရင့်စေတယ်၊ အင်အားဖြစ်စေတယ်။

정동철

미얀마는 우리의 형제들이다

1980년 5월 우리는 외로웠지만
오늘 미얀마는 외롭게 하지 말자
1980년 5월 우리는 외면당했지만
오늘 미얀마는 외면하지 말자
1980년 5월 우리들은 고립되었지만
오늘 미얀마는 고립시키지 말자

미얀마의 하늘이 푸른 것처럼
내 조국의 하늘도 푸르다
미얀마의 땅이 붉은 것처럼
내 조국의 땅도 붉다

우리는 알고 있다

겨울이 아무리 길어도
봄이 온다는 것을
밤이 그토록 깊어도
아침이 온다는 것을

미얀마 형제들이여!

당신들이 넘어질 때 우리도 넘어진다
당신들이 아플 때 우리도 아프다
당신들이 분노할 때 우리도 분노한다
당신들이 노래할 때 우리도 노래한다
당신들이 눈이 붉도록 서럽게 울 때
우리도 눈이 붉도록 운다

끝끝내 당신들이 이길 것을
우리가 그랬던 것처럼
마침내 당신들이 이길 것을

우리는 알고 있다

Myanmar is our brothers

In May 1980 we were lonely
But let's not make today of Myanmar be solitary
In May 1980 we were neglected
But let's not turn away from today of Myanmar
In May 1980 we were isolated
But Let's not make today of Myanmar stand alone

As if the sky in Myanmar is blue
The sky of my country is also blue
As if the land of Myanmar is red
The land of my country is also red

We know

That spring is coming
No matter how long winter is
That the morning is coming
Even if the night is so deep

Myanmar brothers!

When you stumble, we also fall down
When you are hurt, we are also sick
When you are furious, we are also raging
When you sing, we also tune too
When you cry so sadly until your eyes turn red,
We also cry our eyes out

In the end, that you will win
Just like we did
That you will finally win

We know

မြန်မာသည် ငါတို့ညီနောင်ဖြစ်သည်

၁၉၈၀ မေမှာ...
ငါတို့ အထီးကျန်ခဲ့ရသလို မြန်မာကို အထီးမကျန်စေရ။
၁၉၈၀ မေမှာ...
ငါတို့ ဥပေက္ခာ အပြုခံရသလို မြန်မာကို ဥပေက္ခာ မပြုစေရ။
၁၉၈၀ မေမှာ...
ငါတို့ တသီးတခြား ဖြစ်ခဲ့ရသလို မြန်မာကို သီးခြားမဖြစ်စေရ။

မြန်မာ့ ကောင်းကင်ပြာသလို
တို့ ကောင်းကင်လဲ ပြာတယ်
မြန်မာ့မြေ နီရဲသလို တို့မြေလဲ နီရဲတယ်။

တို့သိပါတယ်
ဆောင်းတာ ဘယ်လောက်ရှည်ရှည်
နွေဦးပေါက် မလွဲမသွေ ရောက်လာမယ်ဆိုတာ။
သန်းခေါင်ယံ ဘယ်လောက်နက်နက်
အရုဏ်တက် မိုးသောက်မယ်ဆိုတာ။

မြန်မာညီနောင်တို့
မင်းတို့လဲကျရင် ငါတို့လည်း လဲကျတယ်

မင်းတို့နာကျင်ရင် ငါတို့လည်း နာကျင်တယ်
မင်းတို့ဒေါသထွက်ချိန် ငါတို့လည်း ဒေါသထွက်တယ်
မင်းတို့သီချင်းဆိုချိန် ငါတို့လည်း သီချင်းဆိုတယ်
မင်းတို့မျက်ဝန်းတွေ ရဲရဲနီအောင် ငိုချင်းချတဲ့အခါ
ငါတို့လည်း မျက်ဝန်းတွေ ရဲရဲနီအောင် ငိုချင်းချရတာပါပဲ။

နောက်ဆုံးတစ်နေ့...မင်းတို့အောင်နိုင်မယ်ဆိုတာ
(ငါတို့တွေ့ကြုံခဲ့ရသလိုပေါ့)
မင်းတို့အောင်နိုင်မယ်ဆိုတာ...
ငါတို့ ကြိုတင်သိနှင့်နေပါရဲ့။

안성덕

바위는 깨집니다

달걀로 바위를 치는 미얀마여
우리가 함께합니다
결단코 외롭지 마십시오

반세기 먼저 맨몸으로
총칼을 탱크를 막아섰던 코리아에
새끼손가락보다 가는 싸릿대도
여럿이면 꺾을 수 없다는 말이 있습니다
와들거릴 그대의 손을 잡습니다

싸릿대로 모여 우리 싸리비를 만듭시다
그 빗자루로 저 총칼을 탱크를 쓸어냅시다
말끔히 마당을 쓸고
한바탕 잔치를 벌입시다

떡을 치고 술 빚을 날 기필코 옵니다
어둠은 결코 빛을 이길 수 없다는 진리를
불의는 정의를 넘어설 수 없다는 역사를
우리는 기억합니다

미얀마여, 멈추지 마십시오
수만 리 코리아에서 그대의 손 꼭 잡습니다
던지고 또 던지면 달걀로도
바위가 깨집니다

Rocks will be broken

Myanmar, who hits rocks with eggs
We'll get together with you
Never be lonely

Half a century earlier in Korea
That blocked bayonets and tanks with a bare body
There is a proverb
That if bush clovers that are thinner than your little finger get together, they can't be broken
I hold your trembling hand

Let's get together like bush clovers and let's make a broom out of bush clovers
Let's sweep out bayonets and tanks with the broom
Let's sweep the yard cleanly
Let's have a party

The day will surely come when you will make rice cakes and make rice wines

We remember

The truth that darkness can never beat light and

The history that injustice cannot go beyond justice

Myanmar, don't stop

In Korea very far away I hold your hand tightly

If you throw it and throw it again,

Even with an egg, the rocks will be broken

An, Seong Deok

ကျောက်ဆောင်ဟာ ပြုံလဲလိမ့်မည်

ကျောက်ဆောင်ကို ကြက်ဥနဲ့ပေါက်နေတဲ့ မြန်မာရေ
မင်းနဲ့အတူ တို့ရှိနေပါတယ်
ဘယ်တော့မှ အထီးကျန် မဖြစ်ပါဘူး။

ရာစုနှစ် တစ်ဝက်ကျော်လောက်က
သေနတ် ဓားနဲ့ တင့်ကားတွေကို
လက်နက်မဲ့ ခန္ဓာကိုယ်သက်သက်နဲ့
ရင်ဆိုင်တားဆီးခဲ့တဲ့ ကိုရီးယားမှာ
ဆိုရိုးစကားလေး တစ်ခုရှိတယ်
“လက်သန်းလောက်သေးသွယ်တဲ့ ဝါးခက်လေးတွေတောင်
အများကြီးစုစည်းမိရင် မချိုးဖွဲ့နိုင်ဘူး”တဲ့
တုန်ယင်နေတဲ့ မင်းရဲ့လက်ကို ငါဆုပ်ကိုင်ပါ့မယ်။

ဝါးခက်တွေကို စုပြီး ဝါးတံမြက်စည်းလုပ်မယ်
သေနတ် လုံစွပ်နဲ့ တင့်ကားတွေကို လှည်းကျင်းပစ်မယ်
ပြီး...အဲ့ဒီ ကွက်လပ်မှာ ပါတီပွဲ ကျင်းပကြစို့။

ဆန်မှုန့်အနှစ်ကိုနယ်လို့ ဆန်အရက်ချက်တဲ့နေ့ဟာ
မလွဲမသွေ ရောက်ရှိလာပါလိမ့်မယ်

အမှောင်ထုဟာ ဘယ်တော့မှ အလင်းရောင်ကို
အနိုင်ယူမရဘူးဆိုတာ...
အစမ္မဟာ ဘယ်တော့မှ ဓမ္မကို
မကျော်လွှားနိုင်ဘူးဆိုတာ...
ငါတို့ အမှတ်ရကြရအောင်။

မြန်မာရေ...မရပ်တန့်လိုက်ပါနဲ့
အင်မတန် ဝေးကွာတဲ့ ကိုရီးယားကနေ
မင်းလက်ကို ငါ ဆုပ်ကိုင်ပါတယ်
အကယ်၍ သင်ဟာ အဖန်တလဲလဲ
ပစ်ပြီးရင်း ပစ်ရင်...
ကြက်ဥနဲ့လဲ...ကျောက်ဆောင်ဟာ ပြိုလဲသွားပါလိမ့်မယ်။

2부

용서하지 말라, 사랑이여

봉따웃*

봉따웃은 작은 북인데
슬플 땐 우는 소리를 낸다
춤추는 여인은 손바닥을 잔뜩 젖히며
대나무처럼 휘어진다

구부러지는 것은
신의 언어를 그리는 것이다

봉따웃은 소리가 멀리 퍼지는 북인데
한 마을에서 봉따웃을 치면
이웃 마을의 봉따웃이 울려
온 나라가 북소리로 가득하다고 했다

옆 사람에게 무슨 일인지 물어보자
자신의 장례식이라고 했다

봉따웃은 작지만 큰 소리를 내는 북인데
나도 대나무처럼 속이 텅 비어
가슴을 치며 운 적 있다

죽은 사람의 이름으로 휘어진 적이 있다

* 봉따웃(Bon Tauk): 미얀마의 민속 악기

Bon Tauk*

Bon Tauk is a little drum
When you're sad, it makes a whining sound
A dancing woman curls up her palms fully and
Bends like a bamboo

Bending is
To draw the language of God

Bon Tauk is a drum whose sound spreads far away
If you play the Bon Tauk in a village,
The Bon Tauk in the neighboring village rings and
The whole country is filled with the sound of drums

Asking the next guy what was going on,
He said it was his funeral

Bon Tauk is a small but makes a loud sound
Like bamboo, I was hollow and
There was a time when I cried while beating my

chest

There was a time when I was bent over in the name of a dead person

* Bon Tauk : Myanmar's folk instrument

ဗုံတောက်

ဗုံတောက်ဟာ ဗုံသေးသေး
ဝမ်းနည်းတဲ့အခါ ငိုသံပေးတယ်
ကနေတဲ့ မိန်းမပျို လက်ဖဝါးကို နောက်လှန်ချိုးလို့
ဝါးပင်တွေလို ညွတ်ကွေးသွားတယ်

ညွတ်ကွေးခြင်းဟာ
ဘုရားသခင်ရဲ့ ဘာသာစကားကို ပုံဖော်ခြင်းဖြစ်တယ်

ဗုံတောက်ဟာ အသံဝေးဝေး လွင့်ပျံ့တဲ့ ဗုံကလေး
ဒီတစ်ရွာက ဗုံသံပေးရင်
ဘေးရွာက ဗုံကို ပဲ့တင်ပြန်ကာ
တစ်တိုင်းပြည်လုံး ဗုံသံဝေတယ်

ဘေးလူကို ဘာဖြစ်သလဲ မေးလိုက်တဲ့အခါ
ကျုပ် အသုဘလို့ ဆိုတယ်

ဗုံတောက်ဟာ သေးပေမယ့် အသံကျယ်တဲ့ ဗုံကလေး
ငါဟာလည်း ဝါးလိုပဲ အတွင်းမှာ ဟောင်းလောင်းပေါက်မို့
ရင်ဘတ်ကိုတီး ငိုခဲ့ဖူးတယ်

သေသူရဲ့ အမည်နာမနဲ့ ညွတ်ကွေးခဲ့ဖူးတယ်။

김성철

붉은 꽃은 놓지 말아요

엄마, 가슴에 붉게 꽃이 폈네요
총부리에서 건넨 꽃이 환하게 폈어요
뜨거운 가슴이 사랑을 앓는 듯해요
어쩌면 나도 모르는 열병이 순식간에
폈나 봐요

엄마, 가슴을 꽉 채우는 이 뜨거움은
뭘까요?
막내는 여전히 골목을 돌고 뛰고
어리고 어린 동심 풀고 있나 봐요
막내를 잡아 두세요 꽃은 옮고 옮아
눈물로 핀대요

엄마, 혁명이 자유가 가슴에서
불타올라요
가슴이 불에 오른 것마냥 뜨거워요
차가운 총부리에서 옮아온 꽃은 붉고 붉어서
눈물도 사랑도 말랐어요

막내가 가슴 꽃을 보고 울어요
붉은 꽃은 왜 눈물로 필까요
내가 부르는 자유와 평화와 푸름이
막내 눈물을 덮을 때까지
붉은 꽃을 내 무덤에 놓지 마세요

Don't let go of red flowers

Mom, red flowers are blooming in my chest
The flowers handed over from the muzzle of a gun are brightly blooming
My passionate chest seems to be suffering from love
Maybe a fever that I don't even know is
Blooming in a flash

Mom, what is this hotness that fills my chest fully?
My youngest sister is still running around an alley
I guess she is relieving her childhood innocence
Hold on to my sister, flowers are infected and infected, and
Bloom with tears

Mom, revolution and freedom are
Burning in my chest
My chest is hot as if it's on fire
The flowers infected from the cold muzzle of a gun

are red and red

So, tears got dry and love too

She cries seeing the flower blooming on my chest

Why do red flowers bloom with tears?

Until the freedom, peace, and greenness I sing

Cover my youngest sister's tears

Don't put red flowers on my grave

Kim, Sung Cheol

ပန်းနီနီမတင်ပါနဲ့

အမေရေ..

ကျွန်တော့် အသည်းနှလုံးမှာ အနီရောင်ပန်းတွေ ပွင့်နေပြီ

သေနတ်ပြောင်းဝက လက်ဆင့်ကမ်းလိုက်တဲ့ ပန်းတွေ တောက်ပ စွာပွင့်လို့။

ပူပြင်းနေတဲ့ အသည်းနှလုံးဟာ အချစ်ဝေဒနာကိုခံစားရသလိုပဲ

ကျွန်တော်မသိတဲ့ ဖျားနာမှုတွေ

တဒင်္ဂအတွင်း ဖူးပွင့်ခြင်းလည်း ဖြစ်နိုင်တာပဲ။

အမေရေ...

အသည်းနှလုံးမှာ ပြည့်လျှံနေတဲ့

ဒီပူလောင်မှုဟာ ဘာများပါလဲ။

အထွေးဆုံးကလေးကတော့

လမ်းကြားထဲမှာ ပြေးလွှားလည်ပတ်နေတုန်းပဲ

ငယ်ရွယ်တဲ့ ကလေးစိတ်နဲ့ လွင့်မျောနေပုံရတယ်

အထွေးလေးကို ဆုပ်ကိုင်ဖမ်းထားကြပါဦး

ပန်းတွေဟာ ဆင့်ကဲ ဆင့်ကဲ ကူးစက်လို့

မျက်ရည်အဖြစ် ဖူးပွင့်တတ်ကြတယ်လေ။

အမေရေ...

တော်လှန်ရေးနဲ့ လွတ်လပ်ခြင်းဟာ

ကျွန်တော့်အသဲကို လောင်ကျွမ်းနေတယ်

ပူလောင်ပုံက မီးမြှိုက်ခံနေရသလိုပဲ

အေးစက်စက် သေနတ်ပြောင်းကနေ

ကူးစက်လာတဲ့ ပန်းတွေဟာ ပွင့်လို့

မျက်ရည်နဲ့ အချစ်ဟာ ခြောက်သွေ့ခဲ့ပြီ။

အထွေးလေးက

ငါ့ရင်ဘတ်မှာ ပွင့်နေတဲ့ ပန်းကို မြင်ပြီး ငိုတယ်

ဘာကြောင့် မျက်ရည်နဲ့ အတူ ပွင့်သလဲ ပန်းနီနီတွေ

ငါသီကြွေးတဲ့ လွတ်လပ်ခြင်း ငြိမ်းချမ်းခြင်း စိမ်းလန်းခြင်းတွေ

ငါ့အထွေးလေးရဲ့ မျက်ရည်ကို မဖုံးနိုင်သရွေ့

ငါ့ သချိုင်းအုတ်ဂူအပေါ် ပန်းနီနီမတင်ပါနဲ့။

김자연

아빠는 언제 오나요

사월이 오면
파다욱꽃 가득한 길을
자전거 타고 같이 달려 보자고
약속했던 우리 아빠

파다욱꽃은 피어 웃고 있는데
왜 군인들이 총을 쏘나요
엄마, 아빠는 언제 오나요

아빠는 조국의 평화를 위해 싸우다
하나님께 도와 달라고
파다욱꽃을 들고 하늘로 올라가셨어.

아빠, 하나님의 선물
민주와 평화를 받아 가지고
빨리 오세요.

Kim, Ja Yeon

When is my dad coming back

When April comes
On a road full of Padauk flowers
Let's ride a bike and run together
My dad promised

Padauk flowers are blooming and smiling, by the way
Why do soldiers shoot guns?
Mom, when is my dad coming back?

Your dad was fighting for the peace of our country
To ask God to help him
He went up to heaven with Padauk flowers

Dad, taking God's gift of
Democracy and peace
Please, come quickly

ဖေဖေဘယ်တော့လာမှာလဲ?

ပြေီလ ရောက်ရင်
ပိတောက်တွေ ဝေဆာတဲ့ လမ်းမပေါ်
စက်ဘီး အတူစီးကာ အပြေးနှင်ကြမယ်လို့
ကတိထားခဲ့တဲ့ ဖေဖေ

ပိတောက်တွေပွင့်လို့ ရယ်မောနေပြီလေ
စစ်သားတွေ ဘာလို့ သေနတ်နဲ့ ပစ်ရတာလဲ
မေမေ...ဖေဖေက ဘယ်တော့လာမှာလဲ

ဖေဖေကလေ အမိပြည်ကြီး ငြိမ်းချမ်းဖို့ တိုက်ပွဲဝင်ရင်းက
ဘုရားသခင်ထံ အကူအညီတောင်းခံဖို့ရာ
ပိတောက်ပန်းကို ကိုင်ကာ ကောင်းကင်ကို တက်သွားခဲ့တယ်

ဖေဖေ...ဘုရားသခင်ဆီက လက်ဆောင်
ဒီမိုကရေစီနဲ့ ငြိမ်းချမ်းခြင်းတွေ ယူဆောင်ကာ
မြန်မြန်လာပါတော့ ဖေဖေ....

이길상

오월

기억해! 기억해!
그 말이 너무 아픈 오월

독재정권이 무너진다면
광주에 참 평화가 찾아온다면
햇살 한 점 없어도
좋겠다고 했던 그 말

"미얀마 시위 확산!"
쓰러져서도 그들은 피켓을 들었다
인터넷으로만 확인하는 그들의 소식
자꾸 가늘어지는 내 손목
부끄럽기만 하다

작은 새의 울음
아무렇지 않아 더욱 미안한 오월

푸른 하늘 바라보는 것조차
한 줄기 햇살조차 아릿아릿한

그 오월

May

Remember! Remember!
In May that the words hurt so much

If the dictatorship collapsed
If true peace came to Gwangju
Even without a single point of sunshine
The words that it would be good

"The Myanmar protests spread!"
Even when they fell, they picked up the picket
Their news which is only checked on the internet
My wrists that are getting thinner
I'm just ashamed of

The cry of a little bird
In May I'm even more sorry, since I don't have any problems to me

In that May

It is tingling even when looking at the blue sky and

Even a single ray of sunlight

မေ

သတိရကြပါ အမှတ်ရကြပါ

စကားတစ်ခွန်းဟာ သိပ်နာကျင်ခဲ့ရတဲ့ မေလကို

"အကယ်၍

အာဏာရှင်စနစ် ကျဆုံးပြီး

ဂွမ်းဂျူသာ စစ်မှန်တဲ့ ငြိမ်းချမ်းရေးရခဲ့ရင်

နေရောင်ခြည် တစ်စမှ မရှိလည်း....

ကောင်းမွန်နေပေလိမ့်မယ်" ဆိုခဲ့တဲ့ စကား

"မြန်မာ ဆန္ဒပြပွဲတွေ ဖြန့်ကျက်ကြ!"

လဲကျနေတဲ့ အခိုက်မှာတောင် ဆိုင်းဘုတ်ကို ကိုင်မြှောက်ထားသူ
တွေ

အင်တာနက်က ကြည့်ရှုရတဲ့ သတင်းတွေ

တစ်စတစ်စ သေးလှီလာတဲ့ ငါ့လက်ကောက်ဝတ်ကို

ကြည့်ပြီး ငါရှက်လာတယ်။

ငှက်ကလေးရဲ့ ငိုကြွေးသံ

ဘာမှထူးခြားမလာတဲ့ အဖြစ်မို့

ပိုလို့စိတ်မကောင်းဖြစ်နေရတဲ့ မေလ

ကောင်းကင်ပြာကို ငေးကြည့်ရင်း
နေရောင်ခြည်တစ်စ မြင်ရရင်တောင်
တမြွေမြွေဖြစ်ရတဲ့ ဒီမေလ။

이병초

용서하지 말라, 사랑이여

오라, 사랑이여
군홧발과 최루탄과 총알을 뚫고
민주주의를 외치는 인민의 열망 속으로
겹겹이 회오리쳐 오라
군부독재 타도의 피켓을 들고
길바닥에 짓밟혀도 눈 부릅뜨는 인민의 미얀마
사람다움이 박살난 미얀마
강대국이 외면하는 미얀마 청년의 떼죽음 앞으로
역사의 총을 들고 절망하라, 사랑이여

강대국들의 더러운 계산속은
미얀마를 고립시키리라
미얀마의 숨통을 조이리라
더러운 자본가와 결탁하여
자기네 국민을 학살하는 미얀마 군부
인터넷, 통신망을 끊어버리고 모든 항공편을 막아버리고
눈에 안 보이는 거대자본가들 잇속과
전쟁 미치광이들의 노예가 돼 버린 미얀마 군부

저 간악한 군부의 오만무도한 심장에
양심의 총알을 퍼부어라, 사랑이여

망설일 일이 아니다
지체할 시간도 없다
지금 인류의 자존심이 잔혹하게 고문당하고 있으니
지금 인류의 청년이 떼죽음당하고 있으니
지금 미얀마가 죽어가고 있으니
지금 세계의 민주주의가 파괴되고 있으니
총을 들어라, 사랑이여
한 개밖에 없는 목숨을 총에 들이댄 인민의 열망
동료의 주검을 앞세우고
군부타도를 외치는 인민의 정의를 위해
직진이다, 사랑이여
용서하지 말라, 치 떨리는 분노여
산산이 부서져 부활하는 인류의 희망 미얀마여!

Lee, Byung Cho

Do not forgive it, dear love

Come, dear love
Through military boots, tear gas, and bullets,
Into the people's desire for democracy
Come, whirling in layers
With a picket to overthrow military dictatorship
Myanmar of the people who glare their eyes even if they are trampled on the road
Myanmar whose humanity has been shattered
In the front of the deaths of Myanmar's youth that the great powers neglect
Hold the gun of history, and despair, dear love

The dirty calculation of the great powers
Is to isolate Myanmar and
Is to tighten Myanmar's breath
In collusion with filthy capitalists
Myanmar military that slaughter their people
Myanmar military, which has cut off the internet and communication and blocked all flights,

Became slaves to invisible capitalists and war maniacs
Onto the arrogant heart of that wicked military
Pour bullets of conscience, dear love

It is not a matter of hesitation
There is no time to delay
The pride of mankind is being brutally tortured
The youth of mankind is being killed in droves
Myanmar is dying,
The democracy in the world is being destroyed,
Therefore, raise your gun, dear love
People's aspirations that put only one life in the gun
With corpse of your colleagues in front of you
For justice of the people shouting military overthrow
Straight ahead, dear my love.
Do not forgive it
Shuddering anger

Myanmar, the hope of mankind that is shattered and resurrected!

ခွင့်မလွှတ်ပါနဲ့ ချစ်သူ

လာကြပါ...လာလှည့်ပါ ချစ်သူတို့
စစ်ဖိနပ်တွေ မျက်ရည်ယိုဓာတ်ငွေ့တွေ ကျည်ဆံတွေကို
ဖြတ်သန်းကာ လာလှည့်ပါ လေပွေလို ရစ်ပတ်လို့။
စစ်အာဏာရှင် ကျဆုံးပါစေ ဆိုင်းဘုတ်ကို ကိုင်ပြီး
ပြည်သူတွေရဲ့ ဒီမိုကရေစီတမ်းတတဲ့ စိတ်ဆန္ဒအတွင်း
လာလှည့်ကြပါ။
လမ်းမပေါ်မှာ ချေမှုန်းခံလိုက်ရသော်လည်း မျက်ဝန်းတွေ စူးရှဆဲ
ပြည်သူတွေရဲ့ မြန်မာ
မြန်မာ...လူသားဆန်မှုတွေ ကွဲကြေပျက်သုဉ်းရ
ချစ်သူတို့...
ကြီးမားတဲ့အင်အား(နိုင်ငံ)က လျစ်လျူရှုခံလိုက်ရတဲ့
မြန်မာလူငယ်တွေရဲ့ သေဆုံးရခြင်းရှေ့မှာ...
စိတ်ပျက်စရာ သမိုင်းရဲ့ သေနတ်ကိုင်။

အင်အားကြီးတဲ့ နိုင်ငံတော်ရဲ့ ရုံရှာဖွယ်ကောက်ချက်များဟာ
မြန်မာပြည်ကို အထီးကျန်စေတယ်
မြန်မာပြည်ကို အသက်ရှူရခက်အောင် ဖျစ်ညှစ်လိမ့်မယ်
ရုံရှာဖွယ် အရင်းရှင်တွေနဲ့ ပူးပေါင်းကာ
မြန်မာစစ်တပ်ဟာ ကိုယ့်ပြည်သူကို သတ်ဖြတ်တယ်

မြန်မာစစ်တပ်ဟာ အင်တာနက်နဲ့ အဝေးဆက်သွယ်မှုတွေကို
ဖြတ်တောက် လေကြောင်းလိုင်းအားလုံးကို ပိတ်လိုက်တယ်
ကိုယ်ပျောက်အရင်းရှင်ကြီးတွေနဲ့ စစ်အာဏာရှင်ရူးတွေရဲ့
ကျွန်ဘဝရောက်ရှိသွားတဲ့ မြန်မာစစ်တပ်
ဆိုးညစ်တဲ့ စစ်တပ်ရဲ့ ထင်ရာစိုင်းတဲ့ နှလုံးသားအပေါ်
အသိတရားရဲ့ ကျည်ဆံတွေ
သွန်းချလိုက်စမ်းပါ ချစ်သူတို့။

ဒါဟာတွေဝေနေရမယ့် ကိစ္စမဟုတ်
နှောင့်နှေးနေဖို့ အချိန်မရှိ
လူသားရဲ့ ဂုဏ်မာနဟာ ရက်စက်ညှင်းပန်းခံနေရ
လူသားရဲ့ နုပျိုတဲ့မျိုးဆက်ဟာ အစုလိုက်အပြုံလိုက်သတ်ခံရ
မြန်မာပြည်ဟာ...သေလုမျောပါး လဲကျနေပြီ
ကမ္ဘာကြီးရဲ့ ဒီမိုကရေစီဟာ ဖျက်ဆီးခံနေရပြီ
ဒါကြောင့် သေနတ်သာကိုင်လိုက်ပါ ချစ်သူတို့။

တစ်ခုတည်းရှိတဲ့ အသက်ကို
သေနတ်နဲ့ တေ့ဆိုင်ထားရတဲ့ ပြည်သူတွေ
ငါ့သွေးသောက်ဖော် (တိုက်ပွဲဝင်ရဲဘော်)ရဲ့

အသက်မဲ့ ခန္ဓာကို ရှေ့တင်လို့
ပြည်သူတွေအဖို့ တရားမျှတမှုအရေးအတွက်
စစ်အာဏာရှင်ကျဆုံးရေးကို ဟစ်ကြွေး
ဓမ္မအတွက်...ရှေ့တည့်တည့်ချီပါ ချစ်သူတို့

ခွင့်မလွှတ်လိုက်ပါနဲ့ ဆတ်ဆတ်တုန်နေတဲ့ ဒေါသနဲ့
အစိတ်စိတ်ကွဲကြေပြီးနောက် ရှင်ပြန်ထမြောက်မယ့်
လူသားမျိုးနွယ်ရဲ့ မျှော်လင့်ချက်...
မြန်မာရေ။

3부

거대한 물소 떼

우리는 알고 있다

가깝고도 먼 남쪽 나라
거기서 무슨 일이 벌어지고 있는지.

자유의 열망과
민주화의 의지에
총칼을 들이대는
제복의 폭력,
쿠테타는 혁명이 아니라
어리석은 독재의 증거임을

피와 넋으로 기린
우리의 오월을
푸른 하늘에 새겨 띄워 보내느니

의연하라,
그리고 증언하라
압제와 야만과
그 어떤 불의에도 굴하지 않는
도도한 인간정신을

우리들의 공동체, 세계는 하나다.

We know

In the near and far south country
What's going on there.

The violence of uniforms
Which puts a bayonet to
The desire for freedom and
The will of democratization,
The coup is not a revolution,
But the evidence of a stupid dictatorship

Our May
Honoured by our blood and soul,
I engrave it in the blue sky and float it up

Keep a stiff upper lip,
And testify
The proud human spirit
That is undaunted by

Oppression, barbarity and

Any injustice.

Our community, the world is one.

Kim, Ryu Seok

ငါတို့ သိလို့နေတယ်

နီးသော်လည်းဝေး တောင်အရပ်ကပြည်မှာ
ဘာတွေဖြစ်ပျက်နေသလဲ။

လွပ်လပ်ခွင့်ကို ပြင်းပြစွာတောင့်တ
ဒီမိုကရေစီရဲ့ ပန်းတိုင်ကို
သေနတ်တော့ ဓားထောက်
စစ်ဝါဒီတွေရဲ့ အကြမ်းဖက်မှု
အာဏာသိမ်းတာ တော်လှန်သောပြောင်းလဲခြင်းမဟုတ်
မိုက်မဲသော အာဏာရှင်စနစ်ရဲ့ သက်သေသာဖြစ်တယ်။

စိတ်၊ ဝိညာဉ်၊ သွေးတွေနဲ့ ရေးမှတ်ထား
ဂုဏ်ယူစရာ ငါတို့ရဲ့ မေလကို
ကောင်းကင်ပြာပေါ် လွှတ်တင်ပြီး ကဗ္ဗည်းရေးထိုးလိုက်ရင်

ဖွဲလုံ◌ံ◌ှလ သတ္တိတွေ သန်မာစွာ
သက်သေပြကြပါ
ဖိနှိပ်မှု ရက်စက်ရိုင်းစိုင်းမှုတွေ
ဘယ်လို မတရားမှုကိုမဆို
ခေါင်းမညွှတ်ဆိုတဲ့...

တားဆီးမရအောင် စီးဆင်းနေတဲ့ လူ့စိတ်ခွန်အားကို။

တို့တွေရဲ့ လူ့အဖွဲ့အစည်း
တို့ရဲ့ ကမ္ဘာဟာ တစ်ခုတည်း။

장창영

우리 아이들은 어디에서 왔나

우리의 아이들은 어디에서 왔나
따뜻한 햇살, 푸른 초원
맑은 공기를 마시며 행복해하던
우리 아이들은 어디에서 왔나

신의 은총과
평화로 넘쳐나던 이 땅이
죽음으로 달려갈 때
우리 아이들은 어디에서 왔나

천진난만한 웃음을 입에 물고 살던
빗소리에 눈을 깜박이던 우리 아이들은
친구들과 옹알대며 이 땅의 아름다움을 속삭이던
때가 되면 학교에 가고
쑥쑥 커서 직장에서 일터에서 땀 흘려야 할
우리 아이들은 다 어디로 갔나

아름다운 새소리 대신에
그 자리를 채운 총소리, 울부짖는 피 울음

따뜻한 온기를 나눠주던 손에
차디차게 변해버린 이 땅의 이름을 쥐어주며
우리는 무엇이라 불러야 하나

입으로만
자유여, 평화여, 민주주의여를 외치는 사람들 틈에서
외롭게 싸우고 있는
성난 눈길을 멈추지 않고 있는
이 세상의 우리 아이들은 어디에서 왔나

Where are our children from?

Where are our children from?
In the warm sun and on the green meadow
Where do our children who were happy to breath fresh air come from?

When this land
Overflowing with God's grace and peace
Runs to death,
Where are our children from?

Our children who had innocent smiles in their mouths,
Who would blink at the sound of rain
Who would chatter with friends
Who would whisper the beauty of this land
Who will go to school when the time comes and
Who will grow up and sweat at work
Where did our all children go?

The sound of gunshots and howling bloody cry
Instead of beautiful bird songs
Giving the name of this land that has changed coldly
In the hands of mild warmth
What should we call it?

Only by mouth
Among those who shout freedom, peace, and democracy
Our children fighting alone and
Never stopping angry glance
Where are our children from in this world?

ငါတို့ကလေးတွေ ဘယ်ကလာကြသလဲ

ငါတို့ကလေးတွေ ဘယ်ကလာကြသလဲ
နွေးထွေးတဲ့နေရောင်ခြည်နဲ့ စိမ်းလန်းတဲ့မြက်ခင်းပေါ်
လတ်ဆတ်တဲ့လေထဲမှာ ပျော်ရွှင်နေတဲ့
ငါတို့ကလေးတွေ ဘယ်ကလာကြသလဲ။

ဘုရားသခင်ရဲ့ ကျေးဇူးတော်နဲ့
ငြိမ်းချမ်းခြင်းတို့ ပြည့်လျှံနေတဲ့ ဒီမြေဟာ...
သေခြင်းတရားဆီ ပြေးဝင်သွားတဲ့အခါ
ငါတို့ကလေးတွေ ဘယ်ကလာကြသလဲ။

နှုတ်ခမ်းပေါ်မှာ အပြစ်ကင်းစင်တဲ့အပြုံးနဲ့
မိုးသံကြားရင် မျက်တောင်ခတ်တတ်တဲ့
ဒီကမ္ဘာမြေရဲ့ လှပမှုကို တွတ်ထိုးတတ်တဲ့ သူငယ်ချင်းတွေ
ကျောင်းတက်ချိန် ကျောင်းကိုသွား
ကြီးပြင်းလာတော့ ချွေးတစိုစိုနဲ့ အလုပ်ခွင်ဝင်ရမယ့်
ငါတို့ကလေးတွေ ဘယ်ရောက်နေကြတာလဲ။

သာယာတဲ့ ငှက်သံနေရာမှာ
အစားထိုးလာတဲ့ သေနတ်သံနဲ့ သွေးမြည်သံတွေ

နွေးထွေးမှုကို ဖြန့်ဝေတဲ့ ဒီလက်ထဲ...
အေးစက်ခြင်းကို ပြောင်းလဲသွားတဲ့
ဒီမြေရဲ့ အမည်နာမကို ထည့်ပေးရင်း
ငါတို့ အဲဒါကို ဘယ်လိုခေါ်ဝေါ်ကြမလဲ။

လွတ်လပ်ခြင်း ငြိမ်းချမ်းခြင်းနဲ့ ဒီမိုကရေစီလို့
ပါးစပ်နဲ့ အော်နေနိုင်တဲ့ လူတွေအကြား...
အထီးကျန်စွာ တိုက်ပွဲဝင်နေကြတဲ့ ငါတို့ကလေးတွေ
ဘယ်တော့မှ ရပ်တန့်မှာ မဟုတ်တဲ့ ဒေါသမျက်ဝန်းတွေနဲ့
ဒီကမ္ဘာမြေထဲက ငါတို့ကလေးတွေ
ဘယ်ကနေလာကြသလဲ။

유강희

원하시면 나를 쏘세요
-미얀마 군부 쿠데타를 규탄하며

아직도 귀에 쟁쟁하다
하늘을 울리고 도착한
누 따웅 수녀님의 목소리

-쏘지 마세요. 무고한 사람들을
죽이지 마세요. 원하시면 나를
쏘세요.

미얀마 군부 총칼 앞에
그녀가 무릎을 꿇었다
자유와 평화와 정의의
꽃 한 송이 지키기 위해
가장 낮은 인간의 자세로
두 무릎을 꿇었다

결코 압제와 불의에 굴복해
무릎을 꿇은 게 아니다

오, 미얀마여

다시 치켜든 촛불이여
또 하나의 불사조 광주여

Yoo, Kang Hee

Shoot me if you want.

-Condemning Myanmar's military coup

It's still trembling in my ears
Sister Nu Taung's voice that
Rang the sky and arrived

- Don't shoot innocent people
Don't kill them. Shoot me
If you want

In front of the Myanmar military bayonet,
She got down on her knees
To protect a flower
Of freedom, peace and justice
In the lowest human posture
She knelt down

She never succumbed to oppression and injustice
To her knees

Oh, our dear Myanmar

Candles that have been lifted again

Another phoenix of Gwangju

ပစ်ချင်ရင် ကျွန်မကို ပစ်ပါ

(မြန်မာ စစ်အာဏာသိမ်းမှုကို ရှုံ့ချရင်း)

အခုထိတိုင် နားထဲ ကြားယောင်ဆဲပါ
ကောင်းကင်ကို ပဲ့တင်ထပ်ကာ ရောက်ရှိလာခဲ့
"နူးတောင်" သီလရှင်ရဲ့ အသံ

"မပစ်ပါနဲ့၊ အပြစ်မဲ့ ပြည်သူတွေကို မသတ်ပါနဲ့
ပစ်ချင်ရင်တော့ ကျွန်မကို ပစ်ပါ"

မြန်မာ စစ်တပ်ရဲ့ သေနတ် ဘက်နက်တွေ ရှေ့မှောက်
သူမ ဒူးထောက်ခဲ့တယ်
လွပ်လပ်ခွင့် ငြိမ်းချမ်းခြင်း တရားမျှတမှုတို့ရဲ့
ပန်းကလေး တစ်ပွင့်တလေမှ မကြွေလွင့်ရလေအောင်
အနှိမ့်ချဆုံး လူသားရဲ့ အမူအရာနဲ့
ဒူး နှစ်ဖက်ကို ထောက်ခဲ့တယ်။

ဒါဟာ...
ဖိနှိပ်မှုနဲ့ အဓမ္မအောက် အညံ့ခံ လက်မြှောက်
ဒူးထောက်ခြင်းမျိုး လုံးဝမဟုတ်

အို, မြန်မာပြည်

အို, တဖန် မြှောက်ကိုင်ထားတဲ့ ဖယောင်းတိုင်မီးတွေ
အို, ဖီးနစ် ငွမ်းဂျူ နောက်တစ်မြေ။

나혜경

웨이 모 나잉들의 힘

마당에 꽃씨를 심는 것도 논밭을 일구는 것도 집을 짓는 것도
프랑스혁명도 독립운동도 민주화운동도
평범한 김 이 박 씨들이 아니었으면 턱도 없습니다

당신 앞의 형제가 적군입니까 원수입니까
유탄발사기와 박격포로 맨몸을 겨누겠단 겁니까
맨주먹으로 이길 때까지 싸우겠답니다
하나밖에 없는 목숨을 더 귀한 것과 바꾸고
죽어서 다시 살겠답니다
귀와 콧등이 잘리고 목구멍이 찔리고 장기가 사라진
리틀 판다들이 아니라면 광주도 미얀마도 어림없습니다

The power of Wai Moe Naings

Planting flower seeds in the yard, cultivating rice fields, building houses,

The French Revolution, the independence movement, and the democratization movement would not have been possible without a Mr. everyman, such as Mr. Kim, Mr. Lee and Mr. Park

Are the brothers in front of you enemies or arch-enemies?

Are you aiming at a bare body with a grenade launcher and a mortar?

They are said to fight until they win with bare fists

They are said to exchange their only one life with something more precious and

To live again after they die

Neither Gwangju nor Myanmar could exist without Little Pandas, whose ears and noses were cut off, whose throats were stabbed and whose organs disappeared

ဝေမိုးနိုင်များ၏စွမ်းအင်

ခြံထဲမှာ ပန်းပျိုးခြင်း၊ ကွင်းထဲမှာ သီးနှံစိုက်ခြင်း
အိမ်ဆောက်လုပ်ခြင်းတို့လို့ပဲ...
ပြင်သစ်တော်လှန်ရေး၊ လွတ်လပ်ရေးနဲ့
ဒီမိုကရေစီအရေး လှုပ်ရှားမှုတွေဟာလည်း...
မစ္စတာကင်၊ မစ္စတာလီ၊ မစ္စတာဘတ်တို့လို့
လူသာမန်တွေ မရှိရင် မဖြစ်မြောက်နိုင်ပါဘူး။

မင်းရှေ့က ညီအစ်ကိုတော်က မင်းရန်သူလား
ဒါမှမဟုတ် အငြိုးရှိတဲ့သူလား...
အဲ့သလို လက်နက်မဲ့ လူတစ်ယောက်ကို
မော်တာတွေ ဗုံးလောင်ချာတွေနဲ့ ချိန်မလို့လား
လက်ချည်းသက်သက်နဲ့ သူတို့ဟာ
အနိုင်ရသည်အထိ တိုက်ပွဲဝင်ကြလိမ့်မယ်
သူတို့ရဲ့ အသက်ကို အသက်ထက်ပိုမြတ်တဲ့ အရာနဲ့
သူတို့ လဲလှယ်ပြလိမ့်မယ်
သေပြီးမှ တစ်ဖန် သူတို့ရှင်သန်ကြမယ်
နား နှာခေါင်းတွေ ဖြတ်တောက်ခံရ
လည်မျို ကို ထိုးသွင်းခံရ၊ ကလီစာတွေ ပျောက်ဆုံးသွားရ
ပန်ဒါလေး(Little Panda)တွေသာမရှိရင်

ဂွမ်းဂျူရော မြန်မာရော
ဘယ်လိုမှ ဖြစ်တည်နိုင်မယ် မထင်။

경종호

자유 행진곡

미얀마의 거리
세 개의 손가락을 모아 뿔을 만든
저기 저
물소들의 함성

1980년 광주의 골목에서 밝힌 횃불을 들고
1989년 천안문의 탱크에 맞서며
2021년 양곤의 광장을 걸어 간다

인류의 민주주의가 전진한다

간다, 간다
야자수 나무에서도
심장같이 붉은 열매가 열리는
미얀마의 시간,
붉은 피를 뚝뚝 떨어뜨려
독재자의 그림자까지도
더 까맣게 불태우며
가슴마다 총알이 박힌

함성이 간다

자유를 향해
맑고 푸른 눈을 치켜뜨고
거대한 물소 떼가 간다

March for freedom

The streets of Myanmar
Shouts of the water buffalo,
Over there,
That made horns by getting three fingers together

Holding torches lit in the alleys of Gwangju in 1980
Fighting against the tanks of Tiananmen in 1989 and
They walk through the square of Yangon in 2021

Democracy of human is moving forward

Here they go and go
Even in palm trees,
Time of Myanmar
Bearing red fruits like a heart
Dripping red blood
Even the shadows of the dictator
Are burned darker, and

Shouts go
With bullets stuck in every chest

Toward freedom
With its clear blue eyes sharply raised
A huge herd of water buffalo goes

Kyung, Jong Ho

လွတ်လပ်ခြင်း ချီတက်တေး

မြန်မာပြည်ရဲ့ လမ်းမ
လက်သုံးချောင်းစုဝေး ချိုတစ်ချောင်းဖြစ်စေတဲ့
ဟောဟိုက
ကျွဲတွေရဲ့ ကြွေးကြော်သံ

၁၉၈၈ ဂွမ်းဂျူလမ်းကြားမှာ ထွန်းညှိခဲ့တဲ့ မီးတိုင်ကို ကိုင်
၁၉၈၉ ချောင်အန်မွန်းမှာ တင့်ကားတွေကို ရင်ဆိုင်ပြီး
၂၀၂၁ ရန်ကုန်က ရင်ပြင်ကို ဖြတ်လျှောက်နေတယ်

လူ့မျိုးနွယ်ရဲ့ ဒီမိုကရေစီ ရှေ့သို့ချီတက်နေဆဲ

ချီတက်မြဲ ချီတက်ဆဲ
အုန်းပင်မှာတောင်
နှလုံးသားလို ရဲတဲ့ အသီးတွေ သီးပွင့်နေတဲ့
မြန်မာရဲ့ နာရီများ၊
သွေးနီတွေ တစ်စက်တစ်စက် ပြုတ်ကျကာ
အာဏာရှင်ရဲ့ အရိပ်မကျန်
ပိုလို့ မည်းနက်တဲ့အထိ လောင်ကျွမ်းစေတယ်
ရင်ဘတ်တိုင်းမှာ ကျည်ဆံတွေ စိုက်ဝင်ထားတဲ့

ကြွေးကြော်သံတွေ ချီလာမယ်

လွတ်လပ်ခြင်းသို့ ဦးတည်ကာ
တောက်ပ ကြည်လင်တဲ့ မျက်လုံးတွေ စေ့စေ့ဖွင့်လျက်
ရောမကျွဲအုပ် ချီတက်လာပြီ...

4부

머리에 파다욱을 꽂고

진혼곡

골목 어귀 개오동 치솟는 오월이다 소식이나 껴안고 있는 오월이다

베고 누운 그늘이 비명처럼 번져 어금니 깨문 그 날이 또다시 신열을 앓는다

아버지 사진을 들고 서 있는 광주의 어린 기억이 총성 낭자한 미얀마 거리, 몰려나온 인파를 따라 달린다

달리고 달려도 벗어나지 못하는 막다른 골목의 개오동, 오늘을 질끈 동여맨 사람들의 이마에 붉은 길이 흘러내린다

길을 위해 벽 앞에 서 있는 그대여
막다른 폭력의 그늘을 베어 악기를 만들자
세 손가락 높이 들어 노래하자

총구에 쓰러진 자유를

Bae, Gwi Seon

Requiem

It's May when a yellow catalpa is soaring at the entrance of an alley, and it's May when I am hugging news

The shade that my head lies on, spreads like a scream and that day that I bit the molar is suffering from a fever again.

The young memory of Gwangju, standing with a picture of his father, runs along the crowded streets of Myanmar where gunshots are fired

The yellow catalpa tree in a dead-end alley we can't get out of even if we run and run. A red road runs down on the foreheads of the people who have tied their today to a tight leash.

My love, standing in front of the wall for the road.

Let's cut the shadow of the dead-end violence and make a musical instrument.

Let's sing with three fingers high

Freedom from falling down by the muzzle of a gun

အသုဘတေး

လူသွားလမ်းကလေးအဝင်ဝမှာ
ဂယ်အိုဒိုးပန်းတွေ ဖူးပွင့်နေတဲ့ မေလပေါ့
သတင်းစကားတွေကို ငါထွေးပွေ့ထားရ။
ငါ ခေါင်းချထားတဲ့ အရိပ်ဟာ
အော်ဟစ်သံတစ်ခုလို ပျံ့လွင့်သွား
အံကြိတ်ကာ အပူလုံး ကြွခဲ့ရပြန်တယ်။

သူ့အဖေ့ဓာတ်ပုံကို ကိုင်ကာရပ်နေတဲ့ ကောင်လေး
ဝွမ်းဂျူက ငယ်အတိတ်၊
ပစ်ခတ်သံ ဆူညံနေတဲ့ မြန်မာ့လမ်းမများတစ်လျှောက်
လူအုပ်ကြီးနောက် ပြေးလိုက်နေတယ်။

ပြေးပြီးရင်း ပြေးလည်း မလွတ်မြောက်နိုင်သေးတဲ့
လမ်းရဲ့ အဆုံးက အဝါရောင် ဂယ်အိုဒိုး၊
ယနေ့ကို တင်းတင်းကြပ်ကြပ် စည်းနှောင်ထားတဲ့
လူတွေရဲ့ နဖူးထက်မှာ
အနီရောင် လမ်းကြောင်းတစ်ခု စီးကျနေတယ်။

ငါရဲ့ ချစ်လှစွာသော,

လှမ်းဖို့ရာ တံတိုင်းရှေ့မှာ ရပ်နေသူ
အဆုံးစွန် အကြမ်းဖက်မှုတွေရဲ့ အရိပ်ကို ဖြတ်တောက်ပြီး
တူရိယာတစ်ခု ပြုလုပ်ကြမယ်
လက်သုံးချောင်းကို မြင့်မြင့်ထောင် သီချင်းဆိုမယ်

သေနတ်ပြောင်းဝမှာ လဲပြိုကျခြင်းမှ...
လွတ်လပ်ခြင်းဆီသို့

ဂယ်အိုဒုံး - ကိုရီးယားနိုင်ငံတွင် ပေါက်သော အပင်တစ်မျိုးဖြစ်ပြီး အအေးဒဏ်ခံနိုင်၍ သဘာဝပတ်ဝန်းကျင် ပြောင်းလဲမှုကို ကြံ့ကြံ့ခံနိုင်သော အပင်ဖြစ်သည်။ ပန်းစကားမှာ ငယ်ရွယ်နုပျိုမှုဖြစ်သည်။

총과 꽃

그 총을 거두어라

Ayeyarwady River는 붉은 종이배의 무덤
Mandalay Hill에서 한낮의 석양을 보네

어미는 구멍 난 아이의 몸뚱아리에 꽃을 심었지
꽃밭에는 검붉은 피의 타르가 흐르네

꽃을 들어라

가늠쇠와 가늠자 너머에도
꽃은 여전히 노란빛이거나 분홍빛이거나
하여 총구에 꽃을 피우리

나는 1980년 5월, 귀를 잃고 눈이 멀어
너의 울음을 듣고 창백한 얼굴을 보네

동그마니 엎드려 머리를 맞댄 두 손가락의 기도
멀어 보여도 우린 하나

Guns and flowers

Take that gun back.

Ayeyarwady River is the tomb of a red paper boat
I see the midday sunset in Mandalay Hill

A mother planted flowers in the body of a child with a gunshot hole
The dark red blood tar flows through the flower garden

Hold up flowers

Even beyond the sight and the gauge of a gun
Flowers are still yellow or pink
Therefore, they will bloom in the muzzle of a gun

I lost my ears and was blind in May 1980
I hear your cry and see your pale face

The prayer of two fingers, lying down in a circle
and putting their heads together
It may seem far away, but we're one

သေနတ် နှင့် ပန်း

သေနတ်ကို ပြန်သိမ်းလိုက်ပါ

ရောဝတီမြစ်ဆိုတာ အနီရောင်စက္ကူလှေရဲ့
ဂူသင်္ချိုင်းဖြစ်တယ်။
မွန်းတည့်ချိန်မှာ နေဝင်တာကို
မန္တလေးတောင်ပေါ်က ငါမြင်ရတယ်။

သားဖြစ်သူရဲ့ခန္ဓာကိုယ်က ကျည်ပေါက်ရာထဲ
အမေဖြစ်သူက ပန်းစိုက်ခဲ့တယ်။
ပန်းဥယျာဉ်တစ်လျှောက် ညိုညစ်စေးပျစ်တဲ့ သွေးတွေ
စီးကျနေရဲ့။

ပန်းတွေကို ကောက်ကိုင်လိုက်ပါ။

သေနတ်မောင်းကွင်းနဲ့ ချိန်သီးရဲ့အလွန်မှာ
ပန်းတွေဟာ အဝါရောင်(ဒါမှမဟုတ်)ပန်းရောင်ပွင့်လို့။
ဒါကြောင့်...သေနတ်ပြောင်းဝမှာ
ငါ...ပန်းလိုပွင့်လာလိမ့်မယ်။

၁၉၈၈ မေမှာ ငါ့ အကြား အမြင်တွေ ပျောက်ဆုံးခဲ့ရ
အခု ငါ မင်းဒိုင်သံကိုကြားရတယ်
မင်းရဲ့ဖြူလျော်နွမ်းလျတဲ့ မျက်နှာကို မြင်ရတယ်။

လက်ကလေးနှစ်ချောင်းကို တေ့ဆိုင်ကွေးဝိုက်ဆုတောင်း
(လက်သုံးချောင်းက ထောင်လျက်ပေါ့)
ဝေးကွာသယောင်ရှိသော်လည်း
ငါတို့က တစ်သားတည်းဖြစ်တယ်။

총의 쓸모

네가 줄 것은 학살과 감금뿐이고
내게 남은 것은 멍 자국과 낭자한 선혈뿐인가
진리는 우주의 모든 것이 하나라 말하는데
미얀마는 언제부터 너와 나로 나뉘어
나는 절규하는 자가 되고
너는 진압하는 자가 되었는가
주린 배를 위해 훔친 빵 한 조각도 죄가 되거늘
권력에 눈멀어 선한 목숨을 훔치는 죗값을 다 어찌 하랴?
중요한 것은 눈 감아야 보인다 했으니
미얀마 사람들의 오랜 전통처럼 눈 감고 보라
참으로 오랜 것은 없다고,
나조차도 없다고, 진리는 말하는데
무엇을 위한 독재이고 누구를 위한 내전인가
역사는 반복되는 것이라지만
하필이면 1962년이, 왜 1988년이 오늘 반복되어야 하는가
가난해도 평화롭던 옛날은 다시 올 수 없는가
군인도 시민도 하나로 버마인이던 옛날

마주 앉아 서로 주고받던 미소를 지키게 하라
총은 무엇을 위해 만들어졌는가

The use of a gun

All you can give me is only genocide and confinement, and
Is all that remain to me bruises and bloody blood?
The truth tells us everything in the universe is one, though
Since when, was Myanmar divided into you and me?
I became the one who screams and
You became a suppressor
Even a piece of bread stolen for hungry stomach is a sin
Blind to power, how can you pay for your sins of stealing innocent lives?
As the important thing can be seen by closing your eyes.
Close your eyes and see it like the long tradition of Myanmar people
Really there is no such a thing as forever,
There is not even me, the truth says

What is dictatorship for and who is civil war for?

Although history is said to repeat itself,

Why, of all things, should 1962 and 1988 be repeated today?

Can't the old days of peace come back even though we are poor?

Once upon a time when soldiers and citizens were a single Burmese

Let them sit face to face and keep the smiles they exchanged with each other

What was the gun made for?

Oh, Chang Ryeol

သေနတ်ကို အသုံးပြုခြင်း

ခင်ဗျားပေးတာဆိုလို့ ...

အစုလိုက်အပြုံလိုက် သတ်ဖြတ်မှုနဲ့ အစမွဖမ်းဆီးချုပ်နှောင်မှု

ကျုပ်မှာကျန်ခဲ့တာက အညိုအမဲစွဲတဲ့ ဒဏ်ရာဒဏ်ချက်နဲ့

သွေးစိမ်းရှင်ရှင်တွေပဲလား?

စကြာဝဠာထဲက ရှိသမျှအရာအားလုံးဟာ

တစ်ခုတည်းသာဖြစ်တယ်လို့ အမှန်တရားက ဆိုထားပေမယ့်

မြန်မာပြည်ကတော့ တစ်ချိန်ကအစပြုလို့ ခင်ဗျားနဲ့ ကျွန်တော်ရယ်လို့ ကွဲပြားခဲ့ပြီ။

ကျွန်တော်က မြည်တမ်းငိုကြွေးသူ ဖြစ်ခဲ့ပြီး

ခင်ဗျားကော ဖိနှိပ်သူ ဖြစ်ပြီလား

ငါ့ဝမ်းပူဆာလို့ ပေါင်မုန့်တစ်ဖဲ့ ခိုးမိတာကို အပြစ်လို့ဆိုရင်

အာဏာကြောင့် စုံလုံးကန်းပြီး ရိုးသားဖြူစင်တဲ့ အသက်တွေခိုးယူခဲ့တဲ့

ခင်ဗျားရဲ့ အပြစ်အတွက် အဖိုးအခ ဘယ်လောက်ပေးဆပ်မှာလဲ?

အရေးကြီးတဲ့ အရာတွေကို မျက်စိမှိတ်ကြည့်မှ မြင်နိုင်တယ်လို့ ဆိုကြတယ်

မြန်မာလူမျိုးတွေရဲ့ အစဉ်အလာရိုးရာလို သင် မျက်လုံးတွေကို ပိတ်ကြည့်ပါ

တကယ်တော့ ဘယ်အရာမှ မတည်မြဲ

ငါလဲ မမြဲလို့ သစ္စာတရားက ပြောနေမှတော့
ဘာအတွက် အာဃာလဲ၊ ဘယ်သူ့အတွက် ပြည်တွင်းစစ်လဲ?
သမိုင်းဆိုတာ တစ်ပတ်လည်တယ်လို့ ဆိုကြပေမယ့်
ဘာကြောင့်များ ၁၉၆၂၊ ၁၉၈၈က အဖြစ်မျိုးတွေ
ယနေ့မှာ ထပ်ခါဖြစ်ရတာလဲ
ကျွန်တော်တို့ အနေအစားဆင်းရဲပေမယ့်
ငြိမ်းချမ်းသာယာတဲ့ နေ့ရက်တွေ ပြန်မရနိုင်ဘူးလား
ဟိုးရှေးရှေးတုန်းက...
စစ်သားတွေရော ပြည်သူပြည်သားတွေရော
မြန်မာလူမျိုး တစ်မျိုးတည်းပဲဖြစ်ခဲ့တယ်
မျက်နှာချင်းဆိုင်ထိုင်ကာ အပြုံးခြင်း ဖလှယ်ခွင့်ရပါစေ..
သေနတ်တွေကို ဖန်တီးခဲ့ကြတာ ဘာအတွက်လဲ?

김헌수

파다욱*

그대들의 함성이 노랗게 피어나리
세 손가락을 추켜세우고 머리에 파다욱을 꽂고
핏자국 남은 자리 단단한 마음을 실어 놓으리

꽃이 시들어도 혁명을 멈출 수 없다는 약속 앞에서
항쟁으로 피어 올리는 노란색 울음이여

혼란한 어둠을 녹여 낸 새로운 민주주의 같은 꽃이여
궐기하며 나가는 쓰러진 민중을 위해
미얀마의 그대들 안에 자유가 회복되기를 기대하리

엄숙한 의지로 피어 밟히고 짓이겨져도
파다욱은 위대한 눈과 귀로 결속하며 역사를 다시 세우리

희망으로 나아가며 절규하는 미얀마의 호흡을 단아하게 휘감으리
파다욱의 숨은 목소리로 지지하고 연대하며
미얀마에 뻗어 가는 자유는 덩굴처럼 뜨겁게 번져 나

가리

* 파다욱(padauk): 미얀마 사람들이 사랑하는 노란 빛깔의 꽃으로, 꽃말은 약속과 정조.

Padauk*

Your shouts will bloom in yellow
Raise your three fingers, put a padauk on your head,
and put firm heart on bloodstain

Even though the flower withers, in front of the promise that the revolution cannot be stopped
The yellow cry that blooms in the resistance

A flower like new democracy that melts the chaotic darkness
For fallen people who rise up and go forward
I anticipate the restoration of freedom within you in Myanmar

Even though it blooms with a solemn will and it is trampled and crushed.
Padauk will unite with great eyes and ears and re-build history

Gracefully wind up Myanmar's screaming breath as it goes forward with hope

Supporting and being in solidarity with Padauk's hidden voice

The freedom extending to Myanmar will spread as hotly as a vine.

* Padauk : A yellow flower loved by the people of Myanmar. The flower language is promise and chastity.

ပိတောက်

မင်းတို့ ကြွေးကြော်သံတွေ ဝါနေအောင် ဖူးပွင့်ကြလေမယ်
လက်သုံးချောင်းကို မ,တင် ခေါင်းမှာ ပိတောက်ကိုဆင်
စွန်းထင်းနေတဲ့ သွေးကွက်တွေမှာ ခိုင်မာတဲ့ စိတ်ဓာတ်တွေ နှစ်မြှုပ်ထား။

ပန်းတွေနွမ်းလည်း တော်လှန်ရေးက မရပ်တန့်ဘူးဆိုတဲ့ ကတိရှေ့မှောက်
ရဲရဲရင်ဆိုင်ပွင့်ဖူးကြ အဝါရောင် ငိုကြွေးသံတွေ။

အားမာန်အပြည့်နဲ့ ချီတက်ရင်း လဲပြိုသွားတဲ့ ပြည်သူတွေအတွက်
အမှောင်ထုအထွေထွေကို အရည်ပျော်စေတဲ့
ဒီမိုကရေစီ အသစ်လို ပန်းပွင့်ကလေးရေ
မြန်မာပြည်က မင်းတို့ထံ လွတ်လပ်မှုတွေ ပြန်လာပါစေ။

သိမ်မွေ့ခမ်းနား ဖွဲ့များနဲ့ ပွင့်သမို့ အနင်းခံ အချေခံရလည်း
ပိတောက်တွေဟာ
ကြီးမြတ်တဲ့ နားမျက်စိတွေ စုဝေး သမိုင်းကို ပြန်ရေးကြအုံးမယ်လေ။

မျှော်လင့်ချက်နဲ့ ရှေ့ချီ မြည်ကြွေးနေတဲ့ မြန်မာပြည်၊ အသက်ရှူ

သံတွေကို တင့်တယ်စွာ ထွေးပွေ့ကြ
ပိတောက်ရဲ့ ပုန်းလျှိုးနေတဲ့ အသံနဲ့ အတူ ထောက်ခံ ပေါင်းစည်း
ရင်း
မြန်မာပြည်ထဲ ဖြန့်ကျက်နေတဲ့ လွတ်လပ်မှုတွေ၊ နွယ်ပင်တွေလို
အားအင်နဲ့ ရှင်သန်ပါစေ။

(ပိတောက် - မြန်မာလူမျိုးများ ချစ်မြတ်နိုးသော အဝါရောင် ပန်းဖြစ်ပြီး ပန်းစကား
မှာ ကတိနှင့် သစ္စာဖြစ်သည်။)

피에타

치마 밑으로 떨어지는 달이
붉은 꽃잎의 무늬를 찍고 있을 때
그녀가
그토록 지키고자 했던 것은

별똥별을 가리킬 수 있는 작고 하얀 손
아름답다고 말할 줄 아는 두 개의 입술
연료가 없는 작은 배

죽은 아이를 안고서 그녀가
총부리를 향해 바리케이드를 친 건
기껏해야
빨랫줄에 걸어 놓은 타메인* 한 자락
그 아래로
눈물을 향해 장전하는 쇠붙이가 녹는다

붉은 강에 흐르는 종이배의 장례 행렬
최후까지 남아 있을 세 개의 손가락

행주치마에 숨긴 돌멩이는
적군이 아니라 전쟁을 향해 던져질 것이었다
눈물을 향해 쏘라고 명령하는 그들로부터
그녀가
그토록 지키고자 했던 것은

땅을 디딜 수 없는 아이의 작고 하얀 발
목이 부러진 꽃숭어리들
느리게 노 저어가는 뗏목의 노래
나무와 바람으로 수를 놓은 보자기

돌가루와 찔레잎을 짓찧어
뭉친 주먹밥 같은

* 타메인(Htamain) : 미얀마 여성들의 전통 통치마. 타메인이 널린 빨랫줄 밑을 지나가면 남성성을 잃는다는 속설이 있음.

Pieta

When the moon falling under the skirt is
Taking a pattern of red petals
What she wanted to
Protect so much is

A small white hand that can indicate a shooting star,
Two lips that can say to be beautiful, and
a small boat without fuel

Holding the dead child,
What she barricaded at the muzzle of a rifle is
At best
The hem of Htamain* hanging from the clothesline
Underneath it
A piece of iron melts that is loaded toward the tears

A funeral procession of paper boats flowing in the red river
The three fingers that will remain to the last

The stones hidden in an apron would be
Thrown at the war, not at the enemy
Against them ordering to shoot at the tears
What she wanted to
Protect so much is

Small white feet of a child that can't tread on the ground
Buds of flowers with broken necks
The song of a raft rowing slowly and
A wrapping cloth embroidered with tree and wind

Like a rice ball formed by
Crushing stone powder and brier leaves

* Htamain : A traditional skirt for Myanmar women There is a myth that passing under a clothesline with Htarmain loses their masculinity.

Pieta

ထဘီအောက်ကို လရောင်ကျရောက်ကာ
အနီရောင် ပွင့်ဖတ်သဏ္ဍာန် ရေးဆွဲနေချိန်
သူမ အင်မတန် ကာကွယ်စောင့်ရှောက်ချင်တဲ့ အရာမှာ

ကြယ်ပုံကို ညွှန်ပြနိုင်တဲ့ ဖြူဖွေးသေးငယ်တဲ့ လက်
“လှလိုက်တာ”လို့ ပြောဆိုနိုင်တဲ့ နှုတ်ခမ်း နှစ်လွှာ
လောင်စာမဲ့တဲ့ လှေကလေး

သေဆုံးသွားတဲ့ ကလေးကိုပွေ့ရင်းက သူမ
သေနတ်ပြောင်းဘက်လှည့်ကာ ဟန့်တားကာရံထားနိုင်တာဆိုလို့
အဝတ်တန်းပေါ် ထဘီအောက်နားစ လှမ်းလိုက်ရုံမျှသာ
အဲ့ဒီတန်းအောက်မှာ...
မျက်ရည်တွေကို ဦးတည်ကာ ကျည်ထိုးထားတဲ့
သံတိုသံစ ပျော်ကျသွားတယ်

အနီရောင် မြစ်ထဲမှာ စက္ကူလှေတွေ
အသုဘပို့သလို တန်းစီမျောနေကြ
နောက်ဆုံးအထိ ကျန်ခဲ့မှာက လက်သုံးချောင်း။

မီးဖိုချောင်သုံးဝတ်စုံ(အေပရွန်) အောက်မှာ
ဝှက်ထားတဲ့ ကျောက်ခဲဟာ ရန်သူဆီမဟုတ်ပဲ
စစ်ပွဲဆီ ပစ်ပေါက်ဖို့…
မျက်ရည်တွေဆီ ပစ်ခတ်ဖို့ အမိန့်ပေးနေသူတွေထံမှ
သူမ အင်မတန် ကာကွယ်စောင့်ရှောက်ချင်တဲ့ အရာမှာ

မြေကြီးပေါ် မနင်းနိုင်တဲ့
ကလေးငယ်ရဲ့ ဖြူဖွေးတဲ့ ခြေထောက်လေး
လည်တိုင်ကျိုးသွားတဲ့ ပန်းဖူးပန်းငုံကလေးတွေ
တအိအိ လှော်ခတ်နေတဲ့ သစ်ဖောင်ရဲ့ သီချင်း
သစ်ပင်နဲ့ လေကို ချည်မျှင်ရက်ထားတဲ့ ပိတ်လွှာ

ကျောက်မှုန့်နဲ့ တောနှင်းဆီအရွက်ကို
ထုထောင်းဆုပ်နယ်ထားတဲ့ ထမင်းဆုပ် လိုမျိုး။

산문

고통 속에도 전진하는 미얀마와 한국의 역사

김병용(소설가)

지금으로부터 15년 전, 미국 아이오와대학에서 열린 국제창작프로그램에 참여했던 적이 있었다. 4개월 가까이 30여 개국 작가들과 함께 지냈는데, 초록은 동색이라더니 아무래도 아시아권 작가들과 더 친밀하게 지내게 됐다.

중국, 몽골, 키르키즈스탄, 아프카니스탄, 팔레스타인, 인도, 스리랑카, 방글라데시, 인도네시아… 나는 그이들과의 교유를 통해 아시아 대륙의 넓이, 아시아 문학의 깊이와 다채로움을 실감할 수 있었다.

그 아시아 시인 중 내가 'Master. You See!'라고, 존칭을 겸한 별명으로 부르던 미얀마 시인이 한 분 계셨다. 나와는 나이 차이가 20년 이상 되었던 데다 맨발에 승복 차림을 즐겼던 분이어서 대부분 작가들이 조금 어렵게 대했고 나도 마찬가지였다. (그는 미얀마 사람보다 버마 사람으로 자기를 불러달라고 해서, 거기 있는 동안에는 '버마'라는 사라진 국호를 주로 사용했었다는 것도 부기한다.)

그러다 그분과 조금 더 가깝게 지낼 기회가 생겼는데, 좀 엉뚱한 계기였다. 미국이 대부분 분야에서 우리보다 선

진국인 줄 알았더니 막상 가서 보니 그것도 아니었다. 특히 대학 안에 있는 호텔인데도 인터넷 접속 상태가 아주 좋지 않았다. 30여 명 작가들이 모두 자국과 연락을 하거나 소식을 듣기 위해선 인터넷에 접속해야 하는데 어떤 방은 무선인터넷이 되는가 하면 어떤 방은 모뎀을 연결해야 하기도 했다. 한국에서는 컴맹을 간신히 면한 수준이었던 내가 갑자기 IT 전문가로 대접을 받게 되었는데, 대학 전산센터 따로, 호텔 인터넷망 관리 회사 따로, 컴퓨터 임대업체 또 따로인 상황에서 여기저기 전화해 증상과 민원을 설명하는데 그걸 내가 가장 잘한다는 것이었다. 내가 특별히 영어를 잘했던 것은 아니고 다른 나라 작가들보다 내가 컴퓨터 관련 용어랄까 이런 걸 상대적으로 많이 알고 있는 축에 속했기 때문이다. 한국이 IT 강국이라더니, 알게 모르게 한국의 급변하는 IT 환경 속에서 내가 단련이 되어 있었던 모양이다.

학교에서 작가들에게 대여한 영어 키보드를 대신해 자국 입력 시스템을 설치하고 키보드 위에 투명 스티커를 붙여주고 '워드' 등에 언어 추가 설치를 해주는 일, 작가별로 필요하단 프로그램 설치 CD를 전산센터에서 임대해오고 다시 반납하는 일, 모뎀 접속 명령어 같은 걸 메모해주는 것 정도의 단순 업무가 당시 내가 동료 작가들을 위해 했던 일인데, 어떤 순간부터 동료 작가들이 나를 'Korean smart guy'라거나 'Most clever boy'라고 추켜세우더니 갖가지 민원 해결사로 나를 부르기 시작했다. 온수가 잘 안 나오는데 이야기해달라, 러시아 햄을 사려면, 중국 담배를 사려면 어디로 가야 하는지 알아봐 달라, 도서관 이용증 발급을 알아봐 달라… 처음엔 좀 어이가 없었는데, 생각해보니 대부분 나도 알고 싶은 것들이었고 만난 지 얼마 되지도 않는 한국 작가에게 그런 부탁을 하는 이들의 다급한 마음도 이해가 되었기에 흔쾌한 마음으로 여러 작가들의 심부름을 해줬다.

'마스터 유 씨'는 그중 가장 나를 많이 호출한 작가였다. 거의 매일 인터넷 접속을 도와주게 되었다. 또, 자신이 쓴 원고 파일을 USB에 저장하는 것을 매우 어려워했다. 그는 USB를 늘 가젯(Gadget)이라고 칭해 나를 잠깐씩 헷갈리게 했는데, 나중엔 USB를 '리틀 가젯', 나를 '미스터 가젯'이라고 부르기도 했었다. 그런 면에서 '마스터 유 씨'는 그에 대한 내 응답이었던 셈이다.

내가 그 시인을 '마스터 유 씨'라고 부른 이유는 그 시인이 모든 대화를 'You see?'로 시작해서 'You see!'로 끝냈기 때문이다. 어떨 때는 간투사처럼 그 말을 쓰기도 했지만, 가만히 듣다 보면 맥락마다 그 뜻이 조금씩 달랐다. 나는 그와 대화를 통해 'You see'라는 말이 얼마나 다양하게 쓰일 수 있는지 '마스터'할 수 있었다. 그게 내가 그를 미스터라고 칭하지 않고 '마스터'란 경칭으로 부른 이유이기도 했다.

어떨 때는 '그런데 말야' 정도의 의미를 갖는 접속사로, 어떨 때는 '너도 알지?'라는 의문사, 때로는 '나를 주목해 봐 봐!'의 뜻으로도 쓰였는데 대개 그의 말은 'You see?(너 이런 이야기 들어봤어?)'로 시작해서 'You see!(이제 알았지!)'로 마무리됐다. 언어의 다양한 표정을 포착하는 힘을 가진 시인에게는 외국어라는 장벽도 별게 아니라는 걸 그이를 통해 알았다.

컴퓨터 관련 업무 처리가 끝나면 그는 내게 고맙다며 차를 한 잔 대접했는데, 찻잔을 내놓으며 'Mr. Gadget! You see?'라며 이런저런 이야기를 꺼냈다. 근데, 그 질문 대부분이 내 입장에서는 'Sorry, I don't see what's meaning!'이라고 대답할 수밖에 없는 것들이 태반이었다.

시인이기도 했지만 불교학자였던 그는 한국 불교에 관심이 많아 이것저것 물어봤는데 고등학교 국사 시간에 배운 정도의 불교 지식밖에 갖고 있지 않던 나로서는 늘 대답이 빈약할 수밖에 없었다.

한국의 간화선 전통은 어떻게 수립되었는가? 한국의 불교와 중국, 일본 불교의 상이점은 무엇인가? 고려 팔만대장경과 거란대장경의 관계에 대한 연구는 이뤄지고 있는가? 고려 대장경에 대한 연구가 조선시대에 왜

진행되지 않았나?

질문을 받을 때마다 쩔쩔매는 나를 보더니, 어느 날 그이가 '하긴 네가 불교 신도도 아닌데 대답이 어렵겠다'며 이후 불교에 대한 질문은 더는 하지 않아 한숨 돌리게 되었는데, 나는 갖고 갔던 향과 향곽을 그에게 선물하면서 내가 불교 신도는 아니지만 약간은 불교 친화적인 사람이다라는 점을 간접적으로 어필했던 게 기억에 남는다. 기름진 미국 음식 냄새가 싫어 갖고 갔던 '징관'이라는 한국제 향이었다.

그 뒤에도 그이는 늘 인터넷 접속과 '가젯' 사용을 어려워해 이틀에 한 번 꼴은 그이의 호출을 받았는데, 그때부터는 주로 미얀마와 한국 근현대사에 관한 이야기가 이어졌다. 내게 질문을 해봐야 대답이 시원찮다는 것을 알아차린 탓인지, 그이가 '헤이, 미스터 가젯! 유 씨-'라며 해준 이야기들은 이런 것들이었다.

유럽 제국주의 강풍이 청나라를 강타하며 오래된 동아시아의 질서가 휘청거리게 된 이후, 이미 인도를 점령하고 있던 영국은 본격적으로 미얀마 침공에 나서 3번의 전쟁을 치른 끝에 결국 1885년, 미얀마는 영국령 인도의 한 주로 편입되는 치욕의 역사를 겪게 된다. 그때, 제국주의 국가로 급격히 성장하고 있던 일본은 영국의 미얀마 침공을 보며 조선 침략을 계획하기 시작한다.

1876년 일본의 강화도 침략은 영국의 미얀마 침공으로 인한 영국과 청의 갈등(1874년 마가리 살해사건, 1876년 체푸조약)으로 인해 청이 조선에 신경을 쓸 수 없음을 일본이 충분히 짐작하고 벌인 일이었다.

'You see(너도 알고 있겠지만)' 그때부터 이미 미얀마와 한국의 운명은 함께 가기 시작했다고 노시인은 이야기를 했지만 나는 사실 마가리라는 이름이나 체푸 조약은 처음 들어보는 이야기였고, 무엇보다 미얀마 사람들이 그 시절 영 제국주의의 침략 하에서 피로 얼룩진 근대사의 여명을 맞이하고 있었다는 것을 전혀 모르고 있었다.

무지는 참으로 부끄럽고 무례한 일이라는 것을 그즈음 난 뼈저리게 깨달았다.

난 그이의 방을 나오면 바로 컴퓨터 앞으로 달려가 미얀마의 근대사에 관한 인터넷 자료들을 검색해보기 시작했다. 그렇게 준비를 해야 다음에 만났을 때 어느 정도 대화라도 이어갈 수 있었고, 그게 열정적으로 미얀마의 역사를 내게 이야기해주는 그에 대한 예의라는 생각이 들었기 때문이다. 그는 내게 나의 무지를 깨우쳐줬을 뿐 아니라, 부끄러움과 그 부끄러움을 지워내려는 노력 속에서 상호이해의 깊이와 두터움이 생긴다는 것도 알려준 스승인 셈이었다. You see? 라고 물어보면 I see! 라고 성큼 대답하길, 스스로 기대하며 나는 미얀마에

대해 더 깊이 알고자 애썼다.

영국의 식민지로 고통을 받던 미얀마는, 일본의 아시아 침략이 본격화되면서 새로운 고통을 겪게 된다. 일본을 공동의 적으로 인식한 영국과 미국 등이 중국을 지원하려 해도 중국의 해안선을 일본군이 대부분 점령하자, '버마공로(公路)' 혹은 '버마 로드'라고 불리는 인도-미얀마-중국 윈난성으로 이어지는 1,090km의 산중 밀림 도로가 뚫리게 되는데, 이 도로는 사람의 피와 뼈로 건설되었다고 할 만큼 악명높은 난공사를 거쳐 개통된 도로였고 미얀마와 중국의 수많은 사람들이 이 도로 공사 현장에서 목숨을 잃게 되었다. 그리고, '버마 로드'의 존재를 알게 된 일본에서는 이 도로를 통해 미국과 영국의 군수물자가 중국으로 반입되는 것을 막기 위해, 미얀마 침공을 감행하게 된다.

결국, 1942년부터 1945년까지 미얀마는 영국의 식민지에서 이번에는 일본의 식민지로 전락하게 된다. 그리고, 이때 미얀마에 주둔한 일본군 사단에는 총알받이로 강제 징용된 생때같은 조선의 젊은이들과 채 꽃도 제대로 피우지 못하고 시든 조선의 위안부 소녀들이 있었다. 같은 시간, 같은 공간 속에서 미얀마와 조선의 젊은이들은 전쟁의 광풍 속에 내몰려 함께 나부끼다가 뚝뚝 꽃봉오리째 목을 떨구고 있었던 것.

일본이 항복할 당시 맥아더 사령부에 의해 발표된 자료에 의하면 일본군에 의해 학살된 조선인은 224만 명, 미얀마인은 25만 명이었다. 일본의 미얀마 점령 기간이 3년 반 남짓이라는 걸 생각하면, 36년간 강제 통치를 받았던 우리와 희생자 비율이 비슷한 셈이다. 여담이지만, 미얀마와 한국은 인구가 지금도 거의 비슷하다.

1948년, 한국이 미군정을 벗어나 독립 정부를 세울 때 미얀마 역시 독립 정부를 세울 수 있게 되었으나, 한국은 이내 한국전쟁의 소용돌이에 빨려 들어가고 있었고 미얀마에는 앞서 언급한 '버마 로드'를 퇴각로로 삼은 국민당 군인들이 밀려 들어오더니, 장개석의 대만과 결별하게 된 이 무뢰한 패잔병들은 중국과 미얀마, 태국 사이의 이른바 '골든 트라이앵글'을 무단점거하면서 아편 재배에 나서서 그 유명한 '마약왕 쿤사'의 시대가 열린다. 이 과정에서 미얀마는 또 다른 고통을 오랫동안 겪게 되었음은 불문가지.

그리고, 한국에서 1987 민중항쟁이 있었듯이 미얀마에서는 1988년 8월 8일, 이른바 '8888항쟁'이 일어나게 된다.

나는 이 미얀마 노시인을 통해 미얀마와 한국이 근대사의 여명기부터 피와 고난으로 이어진 행로를 함께 걸어온 동료라는 것을 깊이 이해하게 되었다. 이 노시인은 이와 같은 고난의 미얀마 역사 한가운데를 통과해

2006년 미국의 한 대학도시에서 나와 만났던 것이다.

그는 가끔 나를 앞에 두고 혼잣말처럼 '역사는 왜 이렇게 고통스럽게 전진하는지 모르겠다'는 말을 하며 깊은 한숨을 내쉬곤 했다.

그는 미얀마의 고통스러운 역사 속에서 함께 고통받았고 단련되었으나 그만치 빨리 노쇠하기도 했던 것. 그이는 일이 없을 때에는 객실 내에서 깊은 명상에 빠져 지냈는데, 나는 그의 명상 속에서 만나는 미얀마의 미래가 조금 더 평화로웠으면 좋겠단 생각을 하곤 했다.

이 시인의 이름은 မိုးဟိန်း(MOE Hein)이다.

1942년에 태어나 2010년에 사망했고, 그의 아버지는 미얀마의 국부로 추앙받는 아웅산 장군의 혁명 동지이자 저항적 언론인으로 유명했던 'Journal Kyaw U Chit Maung'이었다. 그는 필명을 'Son of Journal Kyaw'이라고 썼는데, '기자 Kyaw의 아들'이라는 사실에 무한한 자부심과 책임감을 갖고 있었다. 그의 모친 역시 평생 미얀마 군부 독재에 항거한 작가였다. 노년에는 사탑을 세우는 일에 앞장섰고, 고아원을 세워 직접 운영하는 삶을 살기도 했다고 들었다. 2008년 인후암이 발병했을 때에는 '죽음의 천사가 오른손으로 쏜 화살이 내 인후를 관통했다'고 담담히 밝혀, 재가 승려이면서 시인인 자신의 품격을 스스로 입증하기도 했다.

그를 생각하면 늘 떠오르는 말 'You see?'를 이 글의

말미에 담는 것으로 그에 대한 애도의 마음, 미얀마에 대한 연대의 마음을 표하고 싶다.

You see?

지금 미얀마에서 벌어지고 있는 일을?

You see?

미얀마의 역사와 한국의 역사에 피로 쓰여진 제국주의와 야만의 기록을?

You see?

고통 속에도 전진하는 역사를 당신은 보고 있는가.

발문

미얀마의 봄!

이병초(시인, 전북작가회의 회장)

미얀마의 오늘이 절박하다. 2021년 2월, 미얀마 군부는 총을 들고 민주 정권을 찬탈한 뒤 시민 1,000여 명의 목숨을 사살했다. 사망 공식 집계가 1,000명이라는 것은 더 많은 민주시민이 죽임을 당했다고 볼 수 있는 여지를 남긴다. 미얀마는 현재 물이 부족하고 코로나19가 들끓는 상황이며 산소 또한 부족하다. 생필품을 구해야 할 돈도 필요하다. 아니, 미얀마의 이 절박한 상황을 세계에 알리는 것이 무엇보다도 시급하다.

미얀마 시민의 목숨을 틀어쥔 군부는 통신망을 차단했고 코로나바이러스에 대처할 산소를 공급하기는커녕 물조차 주지 않았다. 은행 거래를 꽉꽉 틀어막았다. 미얀마는 고립되었다. 수천의 시민이 죽거나 다쳤고, 시민의 목숨이 경각에 달린 상황인데도 미국을 비롯한 강대국들은 입을 닫은 데다 중국은 미얀마 군부를 지지하고 있다. 미얀마 민주 진영은 9월 6일 쿠데타 세력에 정면 대응할 것을 천명했다. 여기에 국민통합정부(NUG) 두와 라시 라 대통령 대행도 대국민 연설에서 "군 테러리

스트 통치에 반기를 들 것"이라며 미얀마 전역에 비상사태를 선포했다. 미얀마는 사실상 전쟁으로 치닫고 있다.

한국작가회의 전북지회(이하 전북작가회의)는 2021년 2월 미얀마에서 군부 쿠데타가 일어난 것을 묵과할 수 없었다. 전북작가회의 대다수 회원이 미얀마 사태를 심각하게 받아들였고 이 불행을 결코 좌시할 수 없다는 참여의 뜻이 형성되었다. 이에 최우선적 사업으로 미얀마와 연대를 모색하게 되었다. 미얀마의 처참한 현실을 시의 정면에 두기 시작했고 이를 〈전북일보〉와 〈전북포스트〉에 연달아 발표했다. 그러나 우리말로 된 시를 한국의 전주에서 발표한다는 것은 한계가 분명했다. 전북작가회의 창작물을 세계에 알림으로써 미얀마의 오늘이 얼마나 생지옥인지를 호소해야 한다는 의견이 저절로 생성되었다.

전북작가회의는 지면에 발표된 '미얀마 연대시'를 먼저 영어로 번역하여 미얀마 현지의 시인 작가 및 번역가에게 전달했다. 한국어를 잘 아는 미얀마 시인들에게 우리말로 된 시가 먼저 당도하기도 했다. 그들은 우리말과 영어로 번역된 한국의 시편들을 미얀마어로 번역하여 그들의 지면과 게릴라 잡지 등에 게재하였다. 전북작가회의의 시인들은 치열하게 시를 써서 집행부에 보내왔다. 미얀마 시인들도 자기네 언어로 번역한 한국어 시편들을 보내왔다. 전북작가회의 집행부는 미얀마 현지의 시인 작가들, 번역가들과 긴밀하게 의견을 주고받으면서 '미얀마 연대시' 총 38편 중 20편을 공동으로 선정, 책으로 출간하기(3개 국어: 한국어, 영어, 미얀마어)로 결정했다. 나머지 작품들은 e-book 또는 전북작가회의 기관지인 《작가의 눈》(2021년, 통권 28호)에 게재하기로 했다.

미얀마의 처참한 소식이 전해지자마자 전북작가회의 회원들은 자발적으로 성금을 집행부에 보내왔다. 지금도 목이 바짝바짝 타들어 가고 있을 미얀마에 우리의 정성이 어서 전달되기를 바랐다. 집행부는 전북교육청과 연대하여 전북의 각 중학교에 시인들을 파견, 학생들에게 미얀마의 오늘을 알리는 데 주력했는데 시인들은 교육청에서 받은 원고료와 강연료를 성금으로 내놓기도 했다. 집행부와 미얀마 현지 시인들과의 긴밀한 유대감은 지속되었다. 전북작가회의가 마련한 성금은 미얀마 작가 및 작가의 가족(군부에 의한 사망, 군부에 의한 행방불명)들의 생계비에 쓰이도록 하자는 데 합의했다. 미얀마 현지에서는 외화 유입에 대한 감시가 심해졌지만 전북작가회의의 집행부는 안전 계좌를 확보하여 송금을 완료했다. 여기에 '미얀마 연대시집'을 출간하겠다는 소식이 전해지자마자 선뜻 시집 출간 비용을 보탠 분들도 있다.

현재 미얀마의 상황은 1980년 광주의 비극 그 자체이다. 군부는 헌법마저 개악하여 장기 집권 체제를 마련했고 중국, 러시아 등의 비호로 민주주의를 열망하는 시민들은 죽음 앞에 노출되다시피 한 상황이다. 그러나 미얀마의 민주 시민들은 생계를 포기하고 지금 이 시각에도 투쟁에 나서고 있다. 자신의 삶을 지켜내기 위해서 한 개밖에 없는 자신의 목숨을 내놔야 하는 불행한 시대의 파수꾼이 되기를 자처하고 있다. 혁명은 사람의 가슴 속에 있다는 시인의 말을 듣고, 그렇게 말한 시인의 가슴을 칼로 도려낸 군부를 향해 기꺼이 죽음의 길로 가고 있다. 누구는 구식 총을 들었고, 누구는 철판을 펴서 만든 방패를 들었으며, 누구는 몽둥이를, 누구는 맨주먹으로 군부와 저항하는 것이다.

미얀마는 전시 상황이다. 현재 미얀마에서는 무고한 시민이 죽임을 당하고 있다. 정말이지 "민주주의는 염원이 아니라 의무"라고 울부짖던 미얀마 여대생의 피맺힌 목소리가 더는 세계인에게 소외되지 않기를 바라는 마음에서 이 책을 출간한다. 전북작가회의는 전라북도 및 전주시와 소통하여 SNS 등의 통신망을 확보해서 미얀마의 현실을 세계인에게 알리고자 한다. 양심을 가진 세계인들이 미얀마 현실에 적극적으로 나서주고 적극적으로 참여해 줄 것을 호소한다. 전북작가회의는 미얀마 쿠데타 세력이 미얀마 민주시민의 손에 이끌려 땅바닥에 패대기쳐지는 그날까지, 미얀마에 새봄이 오는 그날까지 이분들과 긴밀하게 연대할 것이며 지원할 것임을 밝힌다.

수록 작가 소개

김정경 2013년 전북일보 신춘문예 당선. 시집으로 『골목의 날씨』가 있다.

박두규 《남민시(南民詩)》, 《창작과 비평》으로 작품 활동 시작. 시집 『가여운 나를 위로하다』 등, 산문집 『生을 버티게 하는 문장들』 등이 있다.

복효근 1991년 《시와시학》 등단. 시집으로 『누우떼가 강을 건너는 법』, 『따뜻한 외면』, 『목련꽃 브라자』 등이 있다.

정동철 2006년 광주일보, 전남일보 신춘문예 당선. 시집 『나타났다』가 있다.

안성덕 2009년 전북일보 신춘문예 당선. 시집 『몸붓』, 『달달한 쓴맛』, 디카에세이 『손톱 끝 꽃달이 지기 전에』가 있음.

박태건 전북일보 신춘문예와 《시와반시》로 작품 활동 시작. 시집 『이름을 몰랐으면 했다』 등이 있다.

김성철 2006년 영남일보 신춘문예 당선. 시집 『달이 기우는 비향』이 있다.

김자연 2000년 한국일보 신춘문예 당선. 작품집 『초코파이』, 『피자의 힘』, 『수상한 김치 똥』, 『감기 걸린 하늘』 등이 있다.

이길상 2010년 서울신문 신춘문예로 등단.

이병초 1998년 《시안》 등단. 시집 『살구꽃 피고』, 『까치독사』 등이 있다.

김유석 1990년 서울신문 신춘문예 당선, 시집으로 『놀이의 방식』 등이 있다.

장창영 서울신문, 전북일보, 불교신문 신춘문예 당선. 시집 『동백, 몸이 열릴 때』, 『우리 다시 갈 수 있을까』, 『여행을 꺼내 읽다』등이 있다.

유강희 1987년 서울신문 신춘문예 당선. 시집 『불태운 시집』, 『오리막』, 『고백이 참 희망적이네』, 동시집 『오리 발에 불났다』, 『지렁이 일기예보』, 『뒤로 가는 개미』, 『손바닥 동시』, 『무지개 파라솔』 등이 있다.

나혜경 1991년 사화집 『개망초꽃 등허리에 상처난 기다림』으로 작품활동 시작, 시집 『담쟁이덩굴의 독법』 등과 시사진집 『파리에서 비를 만나면』이 있다.

경종호 2005 전북일보 신춘문예 당선. 작품집 『천재시인의 한글연구』, 『그늘을 새긴다는 것』등이 있다.

배귀선 2011년 전북도민일보 신춘문예 당선. 2013년 《문학의 오늘》 신인문학상 수상. 저서 『신춘문예 당선 동시 연구』가 있다.

김성숙 전주MBC 구성작가. 다큐멘터리 작가. 제54회 휴스턴국제영화제 〈메콩강에는 악어가 산다〉 동상 수상, 제22회 전주국제영화제 〈늦봄 2020〉 출품.

오창렬 1999년 《시안》 신인상 당선. 시집 『서로 따뜻하다』, 『꽃은 자길 봐 주는 사람의 눈 속에서만 핀다』 등이 있다. 불꽃문학상 수상.

김헌수 2018년 전북일보 신춘문예 당선. 시집 『다른 빛깔로 말하지 않을게』, 시화집 『오래 만난 사람처럼』이 있다.

하기정 2010 영남일보 신춘문예 당선. 2007년 5.18문학 작품상, 2017 《작가의 눈》 작품상, 2018년 불꽃문학상 수상. 시집 『밤의 귀 낮의 입술』이 있다.

김병용 1990년《문예중앙》신인상 수상. 장편소설『그들의 총』, 소설집『개는 어떻게 웃는가』, 기행집『길은 길을 묻는다』 등이 있다.

붉은 꽃을 내 무덤에 놓지 마세요
ငါ့ သင်္ချိုင်းအုတ်ဂူအပေါ် ပန်းနီနီမတင်ပါနဲ့။

2022년 1월 4일 1판 1쇄 찍음
2022년 1월 4일 1판 1쇄 펴냄

지은이 | 이병초 외
펴낸이 | 김성규
편집 | 김성철
그림 | 김헌수

펴낸곳 | 걷는사람
주소 | 서울특별시 마포구 월드컵로16길 51 304호
전화 | 02-323-2602
팩스 | 02-323-2603
등록 | 2016년 11월 18일 제25100-2016-000083호

ISBN 979-11-91262-84-1 04810
ISBN 979-11-960081-0-9 (세트)